FIESTA EN NOVIEMBRE

EDUARDO MALLEA

FIESTA
EN NOVIEMBRE

NOVELA

TERCERA EDICIÓN

EDITORIAL LOSADA, S. A.
BUENOS AIRES

Primera edición Bib. Contemporánea: 28 - VII - 1944
Segunda edición Bib. Contemporánea: 20 - IV - 1949
Tercera edición Bib. Contemporánea: 25 - VII - 1956

Acabado de imprimir el día 25 de julio de 1956
Talleres Gráficos AMÉRICALEE — Tucumán 353 — Buenos Aires

LAS PERSONAS QUE APARECEN EN ESTE
LIBRO SON PERSONAS DE FICCIÓN.

......................................,............................

...Y sentía la necesidad de dar las gracias por estar hecho de aquella pasta —pasta argentina, pasta americana— y no de otra. Y al mismo tiempo un sigiloso, un insistente, un grande y efectivo temor, como si quisiera prevenir a una multitud de ciertos peligros, ciertos venenos que habitaban el aire, ciertos miasmas venidos de lejos, ciertas miserias sanguinolentas de ultramar .....

....

...Al abrir la puerta a las once de la noche después de oír los golpes violentos e insistentes, aplicados sin duda con la culata de un máuser, se había encontrado con una patrulla de hombres armados —barbas descuidadas, ropa sucia, bandoleras de cuero con olor a queso agrio . Uno de ellos, el que estaba adelante, le dijo con más brusquedad que firmeza: "¡Hola! Venimos por usted". Miró con asombro sobresaltado ese rostro negruzco en el que se traicionaba un nervioso cansancio unido a una gran irritación —la boca cruel, los ojos violentos—, ese cuerpo de militar desordenadamente vestido, desprolijo.

Él tenía un trozo de pan blanco en la mano, un trozo de pan casero que había tomado unos minutos antes de la mesa de trinchar en el comedor familiar. Pero estaba solo en la casa. Ni su madre ni su hermana estaban en la casa; y él había dejado abandonado sobre la mesa del comedor el pedazo de papel con el comienzo de un poema escrito a lápiz...

EL treinta de noviembre, justamente a las ocho de la noche, las celosías que daban a los dos flancos, sobre las dos calles, fueron cerradas. La residencia quedó así como un continente de temperatura mucho menos elevada que el creciente sofoco de la ciudad, y el asedio exterior de esta ola calurosa pareció apretar, concentrar en el comedor, los salones, las habitaciones altas, el fresco olor costoso y señorial de las magnolias, los geranios, las fresias, los claveles, las "rosa mundi" y los primeros jazmines de la temporada. Todavía sonaban las ocho en el ronco reloj Tchang del primer piso. La señora Eugenia Rague bajó las escaleras en la penumbra del gran salón. En aquel aire nocturno, encerrado, sobresaturado, se oyó, escalón tras escalón, el crujido exacto de la seda; al llegar a los últimos escalones se detuvo —una mano, casi una garra, apretaba los impertinentes sobre la falda, la otra estaba detenida con imperio en el borde negro de la escalera—; aquella máscara agria y estucada barrió los veinte metros por veinte del hall Renacimiento con un mirar en el que había cierta mezcla violenta de austeridad y sorda apatía. Un detalle, una desarmonía —sólo tal vez para su ojo—, una intervención extraña y disonante en el arreglo de aquel ambiente hubieran bastado para poner en movimiento la ingeniería peculiar de su furia, aquel ronco proceso interior que se conocía en la casa desde la antecocina hasta las tristes habitaciones del señor Rague y del que solían salir verdaderos desastres, consecuencias tremendas.

Pero, al parecer, en aquel instante, todo estaba en orden. La señora de Rague levantó los impertinentes. No había querido que dieran luz hasta no ver ella el salón a oscuras; lo cual era la forma de un rito.

Ella oficiaba en su iglesia; mirándola de cerca, hasta se veía el temblor orante de aquellos labios finos y crueles de puritana, labios que reclaman con agravio obstinado (en representación de Dios) la pira para el pecador, brasas para el hereje. Cuarenta años de sequedad pasional, desastre, aridez, plegaria y ambición al unísono suspiradas, habían dejado en las playas de la señora de Rague este taciturno culto por las cosas ancestrales, ya inmultiplicables como ella, áridas, y eternas y rígidas. El tapiz que representaba una escena de caza había sido retirado; la cera proyectaba un oscuro resplandor prestigioso sobre las presencias decorativas, bultos, formas, cofres de vidrio de dimensión humana, estatuillas símili-marfil, telas, marcos; abierto en el muro de la derecha extenso, el gran balcón de stores anchos, las cortinas de fuera a medio correr, secreto todavía por dentro el cuarto al cielo nocturno. Sin despegar la mano, mano ósea y pecosa, de la baranda, la señora Rague continuó mirando como un águila. Frente a ella, más allá de los pocos escalones que faltaban, más allá de esos veinte metros libres ya sin mesa, más allá de los pequeños asientos redondos diseminados aquí y allá, en la pared de enfrente, a oscuras, junto a la puerta de entrada todavía hermética, el gran retrato del cardenal Wolsey pintado por Garnett, discípulo de Raeburn, pudriéndose en su púrpura al óleo llena de polvo y gérmenes, con su nariz carnosa y sus cejas vermiculares inclinadas al mismo gesto de misterioso e inexpresable fastidio por la necesidad de perdurar en ciertas formas de muerte peores que la misma muerte. La señora Rague permanecía horas mirándolo. "Tú, viejo rector de Limington, consejero de Enrique VIII, protector de Inglaterra, enemigo de Ana Bo-

lena; tú eres fuerte porque querías, prelado, una Inglaterra a tu imagen, llena por dentro y aislada. Pero yo
he tenido más poder que tú, y no soy ninguna Wolsey
sino Eugenia Rague, oriunda de Yorkshire, argentina de
adopción, instalada aquí ahora por mi voluntad, en esta
tierra que detesto pero de la que sorbo poder... Y mi
poder es distinto al tuyo, más fuerte, porque tú has sido
dueño de vidas y yo soy dueña de poderes, poseedora de
poderes, dueña de influencias... —¡una palabra dicha a
tiempo y he ahí una compañía que se desplaza, un directorio que extiende su influencia, un mundo entero que
parece esperar sólo una orden para inclinarse a este lado
o aquel...!" Cada mañana, al bajar la escalera, la señora
de Rague escondía en sus viejos bronquios ese saludo.
Como ahora, bajaba, atravesaba el salón —casi sin que
se oyera otro ruido que el de sus sedas, como si camina-
ra descalza— e iba a detenerse debajo de la imagen del
cardenal, los ojos en alto, fría pero casi reverente; porque si en aquel salón aquel lienzo era lo único hacia lo
que no profesaba devoción sino una suerte de resentido
rencor, cada día, extrañamente, su resistencia era más
débil ante el viejo rostro atezado, cada día era más fuerte
el modo como la vencían los pómulos, las cejas vermiculares, la nariz congestionada y animal del monje histórico. Se sentía cotidianamente derrotada por esos rasgos
de decisión eterna.

Inmóvil, permaneció bajo el retrato de Wolsey, los
ojos en alto. Luego fué, descorrió apenas la cortina, dejó
filtrar un poco de luz nocturna y volvió a mirar el efecto
sobre las facciones tristes y arcaicas. La señora de Rague
no era de los que sorprenden en la expresión de las viejas imágenes lo triste de tener que sobrevivirse en esa

eterna inmutabilidad plástica. Ella conocía, a la inversa, cierta voluptuosidad diabólica en el uso bastante ignominioso que practicaba de esas imágenes: se complacía sacando para sí un refinado partido de cuanto rasgo en la fisonomía pintada permitiera a su orgullo oponerle los propios. Nada puede dar la pauta de un espíritu como la revelación de lo que ve detrás de cada cosa que mira. Una criatura, un pródigo, un sensual, un avaro, un santo y un cínico verán en el mismo cristal de roca paisajes tan determinadamente diferentes que bastaría con un grito sincero para unir en el acto a los más parecidos y separar a los más opuestos. En este sentido la señora de Rague batía al maligno en persona, viéndose detrás de todo lo creado. Le había pasado indignarse ante una sombra de irrisión en la cabeza casi fría, tan distante, de la reina Neferit— ¿acaso no tenía ella también esa calidad misteriosa e impenetrable con que manifiestan sus rasgos algunas naturalezas cuyo tránsito por el mundo se parece a cierto desganado viaje por una comarca propia, ya demasiado conocida, ya demasiado vista? Sin embargo, el Cardenal la batía.

De su corto y crudo diálogo con Wolsey pasó a observar más de cerca otros detalles apenas distintos en la sombra del salón desierto. La fastidió el sonido pronto y brutal del gong en la lejana despensa. Tendría que advertírselo a Rickert. Miró de paso los tres aldabones sacros —San Jorge en tres actitudes triunfales con el monstruo respectivo— y nuevamente sintió en la boca la saliva amarga que el recuerdo de la venta fallida de esos tres objetos le provocaba; ¡culpa de Rague, que no negoció bien la cosa y dejó prosperar el argumento de que los tres aldabones eran meras réplicas de los

existentes en el Museo Nacional de Florencia! Tres mil
dólares por cada pieza no era un precio difícil de obtener. Ella había pagado tres veces más por ese devocio-
nario anónimo del quattrocento que se veía al lado. (Se
hizo una luz en el fondo del salón —la puerta que comu-
nicaba con la planta de servicio— y apareció Rickert de
frac con una bandeja cargada de platería). ¡La mala
cabeza de Jorge Rague! Corazón blando y mala cabeza.
Aquella misma noche, llevado por su incurable falta de
atención hacia ciertas fórmulas del ceremonial, ¿no había
estado a punto de invitar al secretario Brian sabiendo
que venía la embajada entera de Alemania y hasta la
propia Gerta Rustyg culpable de todo lo dicho en torno
al manido asunto? ¡Ah! pues casi nada: encender el
incendio. Y las excusas de Rague: ¡qué delicioso e infantil candor! "¡Yo qué culpa tengo, de no saber que
una aventura de Brian con esa insípida desteñida haya
podido tomarse como una cuestión internacional entre
diplomáticos residentes!" ¡Ridícula imprevisión! Esas cosas hay que saberlas y saberlas con sabiduría, es decir,
ignorarlas cuando conviene.

—¡Rickert!

—¿Señora?

—¿Qué hace usted aquí?

—He venido a traer esta platería, señora. Es la platería que la señora ordenó que debía estar sobre la mesa
pequeña.

—Váyase y que no entre aquí nadie. ¡Nadie!

Cuando el criado llegaba a la puerta del otro extremo
pronto a desaparecer, oyó nuevamente el grito:

—¡Rickert!

—¿Señora?

La señora Rague guardó silencio.

Luego dijo con una voz acrimoniosa y seca:

—No quiero ruidos, no quiero confusión en el servicio. Todo lo que se rompa será comunicado por usted mañana mismo al administrador para que lo cargue a cada responsable. Pídame órdenes cuando se retire el último invitado.

Rickert asintió sin moverse.

—Váyase. Eso es todo.

La señora de Rague volvió a quedarse sola en el centro de la sala a oscuras. Alta, escuálida, cubierta de perlas de Burma y collares metálicos, estuvo todavía unos instantes inmóvil, como atenta a la orquestación —en que era sabia— de todas aquellas piezas valiosas minuciosamente acumuladas— joyas de Inglaterra, cerámicas italianas, Talaveras, porcelanas de la dinastía Ming, raros sitiales de coro del XVI, dorados iconos dieciochescos, magníficos atriles tallados, dos mimbres atribuídos a la residencia de Eduardo VII en India, riquísimas armaduras Tudor pertenecientes a los condes de Essex, un negro sombrero grasiento usado por Nelson en Londres antes de Trafalgar, antiguos reclinatorios de St. Paul, señaladores en tela abandonados por hombres famosos en Eton, Magdallen College— de las que se elevaba en la penumbra una confusa voz de civilizaciones muertas, con vago olor a sándalo y lavanda. Su fina nariz de raza recibía ese prestigio ascendente con la voluptuosidad deliberada y medida del jefe que percibe a su alrededor en la asamblea humana la más leve vibración de un ánimo, la turbación de un rostro, la informe aspiración de este o aquel grupo. Todo eso era poderío. Nadie pensaba en tal atril, en tal o cual misal, sino en

el envidiado atril, en el envidiado misal. Y seguramente su espléndida colección, fruto de cuarenta años de
penetrante y sabia persecución a través de cinco continentes (sin parar ante cuchitril de anticuario por in-
fecto y sórdido que fuera) era la más envidiada de
América después de la de aquel pariente del señor Pa-
tiño en la cual ella no había creído nunca, más: que
se inclinaba a tomar como una superchería de algunos
maldicientes bien situados. "Bueno —pensó—, esta noche
cada objeto cumplirá con su deber", y dirigió una mirada de cortés inteligencia hacia el flanco del salón,
revestido de nogal casi negro, donde descansaba, sobre
un grueso almohadón de Sheffield, el sombrero del
Almirante. Consintiéndose furtiva y ásperamente la de-
licia, aspiró el curioso olor a sándalo y lavanda. Venía
ahora mezclado con la concentrada emanación de las
flores recién traídas —flores azules en búcaros azules,
grandes masas soberbias y aún húmedas—, y hasta con
cierta respiración intrusa de la calle, olor al anochecer
de noviembre precozmente caluroso en aquel vasto barrio
de apartamentos y residencias que formaba rectángulo
en torno a la plaza del Norte, sobria, ceñida de follaje,
plátanos y césped liso. Fresco olor a asfalto y cemento
nuevo traído, en un avance casi corpóreo y animal de
las esencias, a árboles y hojas y briznas recién regados;
y un poco también del aliento del río, venido desde el
noreste por contingencia y como de paso, "a dar una
vuelta", gira de brisa palpable, reconocible, bendecible ...

Hasta aquella nariz de sexagenaria abrió sus aletas,
dilató largamente ese pacto con la sensación, en la noche
de noviembre.

"¡Ah, si Rague fuera un poco más hábil! —¡Si por

la noche, ese mismo día, fuera capaz de abandonar, en un repentino rapto, su propensión a cierta difusa y anónima afectividad, capaz de abandonar eso para concluir definitivamente con Ráices el asunto de las acciones Rosario-Liverpool...! ¡Definitivamente! Entonces el sueño tal vez podría hacerse realidad y este olor a verano joven podría venirles, a los dos, desde el Embankment, un poco más acá de la aguja londinense de Cleopatra, y subir hasta las habitaciones, la «suite» reservada del Cavendish...” Aquel Lord Burgley, casi insolente, que apenas la había mirado al serle presentado una tarde en el Savoy, aquella Lady Gowers, ruidosa, exuberante, de grandes ojos, que se reía a carcajadas estirando la floreciente cabeza por encima de un raído “Breitschwanz” (cuando Mr. Alvan aseveraba como un tonto insistente de buena fe: “Pero sí, de los Rague de Buenos Aires, los Jorge Rague de Buenos Aires... Pues de ésos”), aquel Lord Burgley y aquella Lady Patricia Gowers y aquel Mirabeau Leicester y aquel Denis Atkinson que se paseaba en cabeza y frac con las cuatro aristócratas ebrias en la medianoche de Regent Street, todos ésos —¡ah!— tragarían entonces saliva ante la colección trasladada a Pall Mall: “¡Cuarenta mil libras por una sola pieza y no de las más importantes! ¿Oye usted, Lady Patricia? *¡Oye usted, Lady Patricia Gowers!*”

Como llamada de golpe a lo real, la señora de Rague bajó bruscamente la mano a la falda y gritó con una modulación alerta que salió cascada: “¡Rickert!” Pero Rickert ya no estaba y ella permaneció a la expectativa, el entrecejo plegado, el busto alto, la cabeza dignamente echada hacia atrás según su actitud preferida. Sus labios no se movieron ya; el gruñido fué interior. “Cándida", pensó de sí, con asco. "Cándida." No se toleraba, no quería tolerarse complacencias de esa especie: sociales. Se había dicho una vez: todos llevamos adentro dos criaturas, la de ciudad y la otra; y odiaba la criatura provinciana que a veces sacaba la cabeza en ella como un vicio que se aprovechara del sueño para aparecer en un semblante. "¡M... con la provinciana!" —eso se decía, destinándolo a la otra, a la pariente pobre de adentro.

Dió unos pasos y estiró con violencia el paño de misal que pendía de un atril junto al muro izquierdo. No podía con todo lo que se detestaba en ciertos momentos. Habría destruído sin merced a diestra y siniestra con tal de espantar al estúpido fantasma interior. Sus dientes, apretados, parecían cerrarse con furia sobre este pensamiento, triturarlo: "¡El poder lleva el poder dentro, y la felicidad de la garra es el ser garra!" Se encaminó rectamente hacia la escalera sin hacer ruido alguno, fuera de sus sedas, que crujían isócronamente ritmando aquella obsesión furiosa: "¡Qué Lord Burgley, qué Lady Gowers! ¡El poder está en poder! Lo demás: m..."

Al cruzar el pasillo del primer piso encontró a la ex institutriz, que ahora hacía en la casa las veces de dama de compañía. Este oficio era inútil y la señora de Rague la odiaba. (Como a todo, por otra parte, lo que, sin ser práctico, tuviera su origen en un arranque sentimental.)

—¿Ha llegado la niña Brenda? —le preguntó.

La ex institutriz contestó negativamente y la señora de Rague se encerró en su cuarto con un portazo.

Bajo la aguja Tudor del porche la muchacha reía, el cesto caído desde el antebrazo. Labios de un rojo animal, iris verdoso, párpados animales, calientes, calientes, en la noche que nacía.

"¡No quiero saber nada!"

Reía (al morder un poco más arriba, en el propio labio, aquel diente se habría llenado repentinamente de sangre). "¡No quiero saber nada!" Agitaba la cabeza con infantil y cómica pasión. Vestía un traje de percal rojo con lunares blancos, llevaba unos zapatos simples con hebilla, sin medias, mostrando el tobillo óseo y bronceado. El criado, con el plato de fruta que acababa de recoger en la mano, insistió: "Algún día la recibiré a usted en carne y hueso y no me podrá decir: no quiero saber nada". La muchacha reía: "¡Qué atrevido! ¡Qué atrevimiento!" Los ojos redondos y vidriosos del sirviente se cebaban en aquellas manos de vendedora de fruta: "Algún día vendrá usted con su cesto y me dirá: aquí estoy — hoy no traigo fruta y vengo a buscarlo".

La muchacha mostró la lengua roja entre los pequeños dientes que abría la carcajada. "¡Sí, sí, cualquier día!"

Todo el mundo parecía haber querido salir a respirar el aire de aquella noche; tranvías atiborrados, señoritas en libertad, burgueses en procura de aire. En los muros circundados por la tiniebla calurosa se veían muchos carteles que encabezaba en grandes letras la leyenda: "Temporada de verano". La señorita anónima de la ciudad se echaba a pasear por la soflama nocturna con su pantallita de propaganda; el bruto de Casino, con su corbata más veraniega; el gran señor, en el fondo de su Minerva, echando bufidos y transpirando. "¡Cuándo pasará este bochorno!"

Aun las aves urbanas se habían callado después del sopor crepuscular.

E L hombre de cuello apoplético en mangas de camisa y pantalones negros volvió a poner en marcha el disco en la victrola de caoba brillante que ocupaba el claro de pared entre el piso y la ventana francesa de muselinas al viento. El disco —estaba mal aplicada la púa— comenzó a girar en falso produciendo un rumor ininterrumpido y recurrente. Sin prestar atención a ese defecto, el hombre anciano en mangas de camisa y pantalones negros regresó al centro de la habitación —un cuarto lleno de pretensión y lujo, con cierta solemnidad rebuscada— y continuó arreglándose la corbata, plantado con las piernas abiertas a cuatro metros del espejo.

"Pero si Ráices contesta negativamente a esa cláusula —musitó—, si Ráices se resiste a firmar el contrato de las acciones hasta tanto no obtenga una garantía más convincente y concreta, si él adopta esa actitud, ¿qué remedio me queda...? Si le propongo la intervención confidencial de un tercero en arbitrio, se pierde tiempo; si le ofrezco para finiquitar el asunto nuevos elementos de juicio procedentes de nuestra propia parte, no los aceptará; y mientras tanto hay que obrar..." Hizo un violento esguince con la boca hasta conseguir que el cuello de etiqueta descendiera suficientemente en la parte

delantera. Sus dos brazos eran cortos para el esfuerzo.
"...hay que obrar sin perder un segundo de tiempo. La
más mínima espera y todo estará perdido. Absolutamente
todo". Bajó los brazos, se miró en el espejo, atentamente. Insatisfecho, volvió a deshacer el nudo de la corbata de piqué blanco. Desprendió el cuello y suspiró.
"Ni un minuto de tiempo."

Volvió a acercarse a la victrola y corrigió la posición
de la púa y aguardó. El disco repitió brevemente el ruido
anterior y luego emitió la voz normal, la voz singular-
mente gangosa, grave y magistral de una especie de pre-
ceptor mecánico, con sus juicios enfáticos y su acento persuasivo y monocorde, como si se tratara de la repetición
de una clase destinada a grabarse en una mente reacia:

"La enorme riqueza y poderío de los nobles estaban
fuera del alcance de los recursos de la Corona, y el peligro de que los grandes llegasen a confederarse no era
ilusorio, puesto que bien había demostrado su posibilidad la guerra de sucesión, cuando un solo grupo de
aquéllos llegó casi a imponer su voluntad a todo el país.
La primera medida que adoptaron los reyes fué acometer
la empresa de reducir y humillar a la nobleza, trabajo
que facilitaron sus discordias y luchas. Habían arrancado
los grandes a Enrique IV casi todo el patrimonio real
anexionando a sus tierras las de la Corona, no respetando
las de los municipios y exigiendo enormes pensiones
pagaderas por las rentas públicas. Era de todo punto
necesario..."

El anciano continuó con los ojos clavados en el centro giratorio del disco. En rápidos lengüeteos la muse-
lina blanca, volando de la ventana acariciaba su cabeza,
ya casi sin pelo, de piel apergaminada, enfermiza y ama-

rillenta; sobre unos ojos de reaccionar lento, verdes,
pequeños y algo abotargados se extendían los pliegues
regulares de una frente obligada a ser ancha por una
vulgar calvicie de juventud; la boca era grande, de labios
pulposos y todavía bastante frescos. "Si Ráices responde
que sí y quiere que yo le adelante documentos tampoco
eso será posible."

No estaba precisamente cansado, pero todos aquellos
afanes lo tenían un poco nervioso. Nunca había podido
prestar a su imaginación la atención regalada que ella
exigía; debió tenerla siempre metida en una prisión de
cálculos, cifras, planes y conjeturas que traicionaban su
propensión a viajar fantásticamente sin acordarse de la
vida circundante. Pero si la vida lo había empujado,
reducido tiránicamente a hallarse cada día más preso en
una existencia activa de especulador, creando a su alrededor no sólo una maraña de multiplicados intereses
sino una red de personas con quienes esos mismos intereses lo vinculaban extrañamente, por lo menos era
hora ya de descansar y aprovechar los años finales de
su historia íntima concediendo a su ánimo y su fantasía,
tan envejecidos a fuerza de vivir eternamente sepultos,
la necesaria reivindicación. Habría deseado tan sólo sentarse en una silla y entregarse pasiva y serenamente,
como los viejos filósofos barbudos de que había oído
hablar, al desarrollo de los sueños que no había desarro-
llado a lo largo de su vida; pero no bien hubiera
comenzado a poner en práctica ese propósito tan inofensivo, ella, Eugenia, su mujer, se lo habría impedido,
apareciendo en su cuarto con la misma aspereza irónica
y el mismo tono de irrisión zumbona y exasperada con
que lo encaraba cada vez que lo veía distraerse de lo

que ella consideraba la condición normal y el fin necesario de una existencia viril, o sea, la persecución in-
interrumpida del oro, aun en sus formas más elusivas y
abstractas. El señor Rague no podría borrar nunca de
su memoria el recuerdo de algunas noches en que la
primera luz de la madrugada lo sorprendía con los ojos
clavados en el techo, el cerebro obsedido por la maraña
de cifras; en la cama vecina, su mujer dormía como un
guardián.

Volvió al medio del cuarto y reanudó su tarea con la
corbata, en la misma actitud de antes: el cuello con-
gestionado, las dos piernas un poco separadas. Hizo una
pausa, fué hasta la mesa de noche y se sirvió de la jarra
de cristal tallado un vaso de agua; la jarra y el vaso eran
demasiado ricos, costaba trabajo levantar la una, costaba
trabajo levantar el otro. Y luego el agua estaba tibia y
era de la mañana. El señor en mangas de camisa esbozó
un gesto de disgusto y se dispuso a reanudar su difícil
tentativa. "Los documentos deberán estar transferidos
en su totalidad mañana por la tarde según opinión del
Directorio. Yo creo que se podría conceder unas horas
más, hasta la mañana siguiente. Es obvio. Pero nada
más que eso. Ni un segundo más." La expresión "ni un
segundo más" pareció tener un efecto mágico sobre la
operación que realizaba. El extremo de la corbata entró
bien en el nudo. "Ni un segundo más —repitió—. Ni
un segundo más."

Sin moverse, examinó con franca satisfacción el resultado de su esfuerzo, mientras sus labios continuaban
moviéndose, aunque ya sin emitir palabra. En ese instante oyó la voz del disco, que no había cesado: "Defi-
nidas así las ambiciones de la monarquía frente a la

nobleza, e igualmente frente al clero..." Frunció las
cejas, fué nuevamente hacia el aparato de caoba negra,
escuchó un segundo, confundido, luego puso otra vez la
púa en el comienzo del disco. La voz, grave y profesoral,
sonó exactamente como antes:

"La enorme riqueza y poderío de los nobles estaban
fuera del alcance de los recursos de la Corona, y el peligro de que los grandes llegasen a confederarse no era
ilusorio, puesto que bien había demostrado su posibilidad la guerra de sucesión, cuando un solo grupo de
aquéllos llegó casi a imponer su voluntad a todo el país.
La primera medida que adoptaron los reyes fué acometer la empresa de reducir y humillar a la nobleza, trabajo que facilitaron sus discordias y luchas. Habían
arrancado los grandes a Enrique IV casi todo el patrimonio real, anexionando a sus tierras las de la Corona,
no respetando las de los municipios y exigiendo enormes
pensiones pagaderas por las rentas públicas. Era de todo
punto necesario..."

"Bueno —dijo, resignadamente—, no podré aprender
hoy una palabra de historia."

Se esforzó por mantener la atención y comenzó a
buscar primero sobre la cama, luego en las sillas, luego
en el interior de un "placard" su chaleco de noche. Con
la prenda en la mano izquierda y la derecha detenida
en el picaporte del armario, escuchó atentamente y repitió el nombre de Enrique IV una vez y otra vez:
cerró la puerta y volvió a pararse ante el espejo. Entonces le sorprendió ver una pequeña mancha, un ligero
punto gris apenas perceptible en la pechera blanca; se
acercó más al espejo y estuvo observando el defecto;
"no hay duda", musitó; volvió al "placard" y comenzó

a buscar algo sin obtener satisfacción; fué al cuarto de
baño contiguo y volvió con las manos vacías, perplejo;
al cabo de unos segundos de vacilación, sacó del "placard" una valija de cuero de cerdo, la abrió y extrajo
rápidamente una botella blanca; se situó nuevamente
ante el espejo y con ayuda de un pañuelo y del líquido
que había en la botella comenzó a frotar la pequeña
mancha gris de la pechera. Luego se sintió contento y
fué a guardar el recipiente de vidrio.

"...los señores incurrieron luego sin previo aviso en
la tercera rebelión..."

Corrió a la victrola y puso de nuevo la púa en el
comienzo del disco. El profesor volvió a hablar de la
enorme riqueza y poderío de los nobles.

Pero el señor había dejado el chaleco en el "placard" y tuvo que ir a buscarlo de nuevo, no sin incri-
minarse en silencio. "...puesto que bien había demostrado su posibilidad la guerra de sucesión, cuando un solo
grupo de aquéllos llegó casi a imponer su voluntad a todo
el país." El señor asintió, complacido, con un movimiento
de cabeza. "Muy bien —susurró—, muy bien. Excelente
orden, excelente método." En ese instante —inoportuna
filtración— comenzó a preocuparlo la idea de que muy
bien pudiera suceder también que Ráices faltara a la
comida, dijera no a la invitación, a última hora; era
como para preocupar; entonces habría que cambiar de
pies a cabeza la política del Directorio — reabrir el
asunto, tender nuevamente los lazos... ¡Y la impaciencia
de la señora Rague! ¡Y las necesidades de la Compañía!
Pero — ¿a qué ser tan extremadamente pesimista?
(Comenzó a ponerse el saco de frac, el pañuelo de hilo
blanco, el pequeño botón verde de la orden belga.)

Claro que hay muchas maneras de no estar presente: rehusar la conversación inmediata, buscar la vuelta. Sin embargo, planteadas las cosas en términos lógicos, en términos lógicos y normales ...

Se oyó llamar con los nudillos a la parte exterior de la puerta.

—¡Pase!

En el intervalo se oyó, más fuerte que nunca, la voz del disco: "... con lo cual quedó puntualizado el *animus belli* del Rey, la grave situación de hecho en el territorio político".

El criado entró con la pequeña bandeja. "Cartas para usted, señor; llegaron por la tarde."

Ciego de rabia, el señor arrojó al suelo los alicates.

"Dios de todos los dioses, ¿estará escrito que yo no pueda tener paz? ¡Esto no va a parar hasta que yo no acabe de una buena vez y para siempre con toda la servidumbre sin dejar a uno solo de ustedes en casa! ¡Todos caen sobre mí con la misma idiota cara de víctimas — y yo debajo! ¡Déjenme tranquilo de una buena vez! ¡Cierre, cierre esa puerta ... ! ¡Todas las noches dale que dale y sin que yo pueda ingerir una bendita palabra de historia! Hay que volverse loco." Se sentó y dejó descansar la cabeza fastidiada en el respaldo del sofá.

EL mayordomo bajó precipitadamente las escaleras de servicio. A través de los ventanales cubiertos de vidrio opaco llegaba el fragor de la calle próxima; nítidamente, la huída de los autobuses, los ómnibus, los camiones de reparto y los taxímetros en una fuga desatada, y salvaje. Sobre todo aquel estruendo, la vieja torre próxima del Pilar parecía bastante anacrónica, con su cúpula rudimentaria, sus arcos simples y su ingenua espadaña colonial. Un fuerte brazo verde y joven de tipa cruzaba casi la calle con su musculatura nudosa por encima del tráfago y del asfalto. Hacia el este remoto cantaba la sirena crepuscular, dócil al oído sordo del transeúnte, huraña al que hubiera querido forzarse a oírla tenso y atento. Los batientes de la puerta de la antecocina batieron el aire tras el mayordomo Nicolás Morla. Azorado, preguntó al azar, a quien oyera: "¿No está en casa la señorita Marta?" No estaba en casa la señorita Marta. No estaba en casa la señorita Marta. "No está en casa", repitió, misteriosamente abrumado. ¿Qué hacer, dónde hacerle llegar el urgente mensaje telefónico, aquella súplica . . . ?

"Nicolás Morla, el mayordomo, tiene los labios blancos como ceniza." (Ésa fué opinión de la segunda cocinera.)

No estaba en casa. La señorita Marta. ¿Qué hacía él cargado con aquel mensaje? Inútil con aquel parte adentro. Se asomó por el pequeño hueco cuadrado de la antecocina por donde se insinuaba el calor de la calle. Lejos, corría la avenida.

Ha dejado la puerta del dormitorio abierta y encendido el velador y caído sobre la cama cuan larga es. Y, larga, alta, vaya si lo es: un metro setenta de cuerpo delgado, macizo, elástico; piernas largas, fuertes; pecho delicado y firme como el de una criatura criada al aire libre (cuando se levanta y marcha, sus pechos vibran con ella pero casi planos como los de un efebo). Veintisiete años— y eso no es todo; veintisiete años sin días muertos, ni un día, ni una semana, veintisiete años erectos, ¡con qué inquietud y qué desmesura en la curiosidad! Pasión de curiosidad, hambre de ver, oler, oír, sentir: eso es lo que tiene. Veintisiete años preguntándose: ¿qué es esta novedad, la vida? La vida, las cosas, los lugares. Harta de esto y harta de aquello. De repente una curiosidad humana, de repente una curiosidad geográfica, de repente una curiosidad de hechos, ideas, libros — y al rato de todo eso, un cansancio, un aburrimiento, una necesidad no conocida de otra cosa. ¿Es ella la que cambia, la que muda, o las cosas? Tal nariz, tal frente, tal mirada, tal modo de ser de hombre, de tal o cual hombre, ¿era así, el mismo ayer, el día anterior? ¿O ha cambiado? Tal rasgo que relumbraba de inteligencia se vuelve estúpido; tal forma de silencio y belleza que parecía contener el mundo todo está vacía, no contiene sino un aburrimiento irremediable, pasta de aburrimiento; aquella manera de comprender con fuerza y de acariciar la piel con inteligente sabiduría, tacto, viril ternura que sintió una vez en un hombre, ¿en qué se ha transformado luego? — no es más que la prolongación exterior de una indiferencia, de una frialdad de nacimiento... ¡Ah, qué repugnancia! Basta de humanidad, vuelta a los libros. ¿Qué es esto? "Anatomy of melancholy", de Burton —"Anatomía de la melancolía"— al principio: admirable, ¿no se ha sentido deliciosamente arrebatada por la perspicacia profunda y el talento? — (¡qué animación, qué vida, y surge del texto gris el hombre vivo, Burton, tan curioso!); Demo-

critus junior, se llama a sí mismo, médico del alma:
"Give not way to solitariness and idleness", "inmode-
ratc cxcercise is a most forcible cause of melancholy";
vanagloria, orgullo, gozo, ambición, amor propio, estudio, educación, pobreza, necesidad, juego, codicia — todas causas de melancolía... ; todas, son buenas vías para
el mismo fin; ¡pero el libro entero también es melancólico, desprende una monotonía y un tedio...! ¡Ah, no,
Mr. Burton, no!; otra cosa: novelas. D. H. Lawrence,
Huxley, Garnctt, Hermingway, otras tantas vueltas de
la misma rueda, y la rueda persiste, la rueda no distrae,
la rueda permanece inmóvil... ¿Y tal o cual exposición,
tales o cuales cuadros? De la marea de lo mediocre se
salvan tres, tal vez cuatro: un Pascin, un Picasso, un
Braque. Vale la pena comprarlos, se compran; pero después, cuando están ya ahí, empiezan a segregar
lentamente su veneno, a echarse a perder, a destilar su
pecado original, a filtrar hacia fuera el procedimiento,
la mentira, este o aquel cálculo técnico sobre el que
toda la masa plástica está parada, apoyada... ¡no! Pero
¿qué otras cosas hay? El planeta no es grande, son unas
pocas calles hábiles que conducen hasta Saint-Honoré,
hasta Bond-Street, hasta la vía dei Condotti, hasta la
rue de la Boétie... unas pocas cabezas de aire raro e
inteligente... unos cuantos libros ya leídos... unos con-
tados lugares donde estar, en las arenas del Mediter-
ráneo, al resplandor de un cielo índigo, viendo las nubes en marcha... Fuera de eso, nada, nada, más que
repetición de la fealdad, de la vulgaridad, de la estupidez. Los mismos gestos, las mismas palabras, la misma
manera de mentir y justificarse por parte de toda la
humanidad. Este que protege su pequeño automóvil y

aquel que protege su pequeño sistema de inmoralidades, los dos tendiendo a disponer que la sociedad funcione ordenadamente para la conservación de aquel pequeño automóvil o la salvaguardia de aquel pequeño sistema de inmoralidades. Con tal de que eso perdure, poco importa postrarse de hinojos ante el primer ídolo: ¡lo importante es el pequeño automóvil —y su pequeña teoría de placeres—y el pequeño sistema de inmoralidades...! ¡Humanidad! Hombres, mujeres, criaturas: no valdrán nunca más que lo que valgan sus hambres...

Se desperezó, fijó los ojos en el techo con una mezcla de insatisfacción no localizable y una gran fatiga y fuerte disgusto hacia su atmósfera moral, hacia todo aquello que llevaba, como la innocua etiqueta de papel en un producto clasificado, la imprecisa designación de vida. Movió la cabeza hacia uno y otro lado, una vez y otra vez, negándose explícitamente hasta la posibilidad de pensar, en ese momento en que sólo quería ser como un animal que deja aflojar sus nervios. Pero todavía, en espíritu, tuvo que luchar contra aquella imagen de hombre que ya odiaba y que tres días antes levantó en su ánimo un viento ligero de esperanza. ¡Si este juego de créditos y abominaciones alternadas tuviera al fin la virtud de mantener una especie de vigilia interior, un tenso insomnio, una ocupación casi dramática de la sensibilidad! Pero no pasaba de ser un foco de decepciones tediosas, inútiles esperas, encuentros desprovistos de vehemencia, o fervor o entusiasmo del corazón.

Sin embargo; ¡qué pretensión sin nombre en cada uno de esos números individuales de la gran masa desindividualizada! Con los brazos abiertos en cruz, con la garganta hinchándose, un poco en alto, presa del

acceso repentino de risa, no pudo dejar de acordarse
de la forma en que había querido hacérsele pasar el vil
metal por el bueno. Ella había tenido la suficiente presencia de ánimo como para rodear con sus dos manos
aquel rostro viril, inmóvil y perplejo en su codicia de
carne como una máscara inhumana, y hablarle como
a un niño y decirle: "Pero — ¿es que se va a eso, al
amor, con palabras, por sagaces, por bien urdidas, por
cuerdas y persuasivas que sean? Si no hubiera hablado
usted, aún podía haber evolucionado naturalmente en
su favor, gracias a esa necesidad de desarmar caracteres
ajenos a que a veces nos abandonamos. Pero se ha des-
hablado usted: ¡ni una sola región en sombra dentro
de un cuerpo que ya me costaba aceptar físicamente!
No, no, no ha dejado usted nada adentro suyo, nada,
más que vacío..." Y la máscara, frente a ella, permaneció inmóvil y perpleja, negándose a revelar en un simple gesto el asombro que le causaba el haber fracasado
con su más infalible, temible, premeditada dialéctica...

Y ella también quedó —ahora, al pensarlo— sin risa.
Tendida en la cama, exhausta; un cuerpo cobre de ojos
grises: Marta Rague.

Sí, ahora descansa; pero dentro de media hora comen-
zará de nuevo. Tendrá que vestirse para la comida de
su madre y ser cortés y oportuna con todos. Eso es
la sociedad: no ser uno ni naturalmente cortés ni naturalmente oportuno ni naturalmente brillante ni naturalmente sociable y feliz y tener que ser para todos cortés
y oportuno y brillante y sociable y feliz. Ser para los

demás lo que uno no es para uno mismo. Es decir traicionarse a sí mismo para traicionar después a los otros sucesiva y abundantemente. Y todo lo que ella vive es esto: una eterna desnaturalización de sí.

Ahora piensa, una vez más, cuán grande es su propio vacío por dentro. Ya no el de éstos o los otros: el suyo propio. ¿Acaso basta con ser uno alguien que se mueve, se desplaza, manifiesta su gusto por esto o aquello? ¿Acaso basta con tener pequeñas predilecciones? ¿O es que debe ella hacer caso al rumor —un tanto confuso— de sus tiránicas preguntas interiores?

Está harta. Harta de su no querer cuestionarse, de su no querer echar a rodar el alud de su gran decepción del mundo. Pero, perteneciendo a un mundo dado, a un sistema de costumbres y prejuicios dados, ¿adónde se iría a parar si abriera uno en sí el cauce a ese alud? Y, sobre todo, ¿qué hacer?

Niña aún, ya llevaba en el fondo del alma, como en el fondo extremo de un paisaje sombrío, aquel sueño trágico. Aquel querer darse a algún sagrado fuego y aquel llevar muerto este deseo en el fondo de la comedia cotidiana, las risas, las charlas. Al ir y venir en los lentos trenes desde la provincia —su padre tenía entonces participación en los ferrocarriles—, le parecía ver, en la extensión de aquellos campos yacentes, sin cumbres, el paralelo de su ya resignada expectativa. Como la pradera espera la lluvia, sin nublazón que la preceda, así esperaba ella estupefacta, herida, el destino.

Pero su amor, aquella terrible gota de amor en su propio lago mortal, estaba puesto del lado de los que salen al paso de las cosas, las buscan, las desafían; y por eso se despreciaba un poco a sí misma —¡o tanto!—

incapaz de ese paso airado que puede parar en la gloria
o en el abismo.

Marta Rague encogió el brazo y, tendida, se cubrió
con él la frente.

De pronto —exactamente en un minuto dado, en un
mágico fiat-lux, de modo súbito— la fisonomía carnosa
y amarillenta del cardenal Wolsey tornóse de su apariencia mortecina entre tinieblas en algo blanco, diurno
y translúcido mientras el salón todo, riquezas, telas, ceras y rincones, apareció gloriosamente bañado por una
luz casi lunar. Los caireles incontables de la araña
Luis XVI rielaban en el piso bituminoso, y había en
la atmósfera tal apariencia de ostentación y real prestigio que parecía ir a desarrollarse allí, no un simple
baile privado, sino un espectáculo de corte, preparado
con no se sabe cuánto de pericia residencial y palaciega,
viejas mañas y gusto propio y refinado, si se puede llamar así en el orden de las cosas a una suerte de acumulación cálida. Se veía establecido entre los objetos de
la decoración ese diálogo deliberado, premeditado, de
cuya sabia combinación deriva la unidad interior de
un ambiente o vivienda; conversaban, así, en una singular competencia de eficacia ornamental y brillo, las
pequeñas fresias yuguladas (mil rostros sin cuello, sin
pedúnculo, distribuídos a lo largo de una talla griega
en forma de extenso banco, en el lejano extremo del
salón), con la Dolorosa de jade y un semblante al temple,
ardoroso y torturado, atribuído a Hyeronimus Bosch,
cuya boca desangrada y sangrienta parecía tender desde

el muro cercano, en un gesto angustioso, hasta la blancura húmeda de las flores, elusivas en su coquetería nueva y su éxito; y hablaban también, con un acento visible, más discreto, los tres pequeños cofres de la dinastía Ming, llenos de reserva confidencial, con unas formas cónicas de oro azteca donde estaban finamente grabadas a buril ciertas leyendas sentenciosas de Bernal Díaz.

Eran las nueve. Cubierto el pecho pecoso y un poco hundido con el asombro de una gran orquídea blanca levemente teñida en los extremos de oro y azul claro, la señora de Rague bajó, con el fin de pararse a la entrada, digna y severamente sonriente. Hizo —con un movimiento en el que participaban apenas los ojos enérgicos y la barbilla— un gesto a su cónyuge, gesto conminatorio ante el cual él, que bajaba a su vez en ese momento la escalera con reflexiva lentitud, se apuró y vino a situarse allí, junto a ella, incorporándose en el acto la sonrisa de su mujer como quien recoge y continúa una ceremoniosa consigna. Todavía se acercó a la señora en busca de órdenes el criado del portal y ella le dió con voz seca una final indicación. El hombre se inclinó y giró sobre sus pies, y ella lo volvió a llamar: "Conteste si ha comprendido". El criado miró esos ojos helados y asintió tímidamente antes de retirarse.

Por espacio de algunos minutos, ella conversó en voz baja con su marido. Fulano había contestado que vendría y Mengano que no vendría. Habría sido preferible que viniera Mengano en vez de Fulano. Pero también tenía su importancia que Fulano viera los tres famosos llamadores de San Jorge y los sitiales de coro, aunque era un consumado imbécil.

En forma pausada, como rasguidos sueltos y perceptibles de una sinfonía silenciosa, se oía ya el interrumpido y armonioso gemir de un instrumento de cuerda; en el jardín de invierno, al lado del comedor, los músicos de la orquesta afinaban sus violoncelos. El pianista inclinaba sobre el teclado una cara de burgués hambriento, blanca de palidez empolvada, intentando acomodar en una concertación harto difícil su propia miopía, los arpegios y la partitura...

Semejante a un número que debe aparecer en escena rigurosamente a tiempo, hicieron su entrada, en grupo, los primeros seis invitados: cuatro mujeres de diversa edad— envueltas en esencias de una misma marca en boga, las cabezas frescas, los peinados húmedos de brillantina—, precedidas por dos diplomáticos maduros, el uno con su cabellera de lírico, crenchas hirsutas de meridional, y el otro con las facciones enjutas y no sanas de un Erasmo consumido por dentro de preocupaciones y de dudas sin desatender por fuera el fausto de los salones. "¡Jílgoles!" El señor Rague retiene entre las dos suyas, sin protocolo, la mano abacial y lechosa del primero y saluda con más continencia al otro, hecha ya instinto en él la idea de que a cierta altura de la vida ya hemos tomado partido con respecto a ciertas camaraderías beatificables y a otras que no lo son y nos traerán disgustos.

Menos, mucho menos abandonada a su movimiento natural, la señora Rague rozó en orden las manos de las cuatro mujeres, con la misma sonrisa uniforme y el mismo pliegue "blasé" sobre el extremo central de las cejas, altas. Siempre hay medios a mano para limitar una efusión y cortar en la persona que nos aborda cualquier exceso de tempéramento: una carraspera oportuna, una distracción calculada y todo quedará en su debido punto.

Una de las mujeres hablaba:

—Fíjate que creía llegar tarde por uno de esos entusiasmos que a uno se le cruzan en el camino inesperadamente, y del que tuvo esta vez la culpa un pequeño, pequeño estudio de Ruskin sobre la lectura. ¡Delicioso hasta más no poder! Yo no soy precisamente —para qué decir— el tipo de "celle qui s'emballe de tout" pero, créeme, ciertas impresiones instantáneas (no necesita que sea un libro, puede ser también una flor, ciertos objetos o un hermoso animal) despiertan en mí al doble, al ser dócil frente al encanto que adormece, que la deja a una paralizada exactamente como la cobra...

Y, lo mismo que si ante la mirada inmutable de la señora Rague y la curiosidad perfectamente en las nubes de las otras mujeres se hubiera descubierto a sí misma en falta por lo que acababa de decir: "¡Qué ridículo!", rió, y una capa púrpura cubrió las dos mejillas de treinta años por debajo de unos ojos brillantes de sensualidad sinuosa y disimulo.

Sonó el golpe brutal de un instrumento de cobre al caer al suelo en el jardín de invierno. Las mujeres se sobresaltaron. La señora de Rague se adelantó sin alterarse hacia otras gentes que llegaban. El señor Rague interrumpió su conversación con Jílgoles para atender a sus tareas de recepción y Jílgoles abrazó a las cuatro mujeres, que siguieron con él hacia el interior del salón, mediante una mirada donde flotaba superficialmente la indiscreta codicia del conocedor.

—Pues Ruskin, es claro, viene siempre a ser el gran

moderno, el eterno moderno, para utilizar una expresión que correspondería a la genialidad florentina...

Lucrecia Batros no se sintió ni poco ni mucho alentada por esa adhesión artificial a un entusiasmo ya pasado, a un entusiasmo de horas antes, y dejó escapar un grito de hembra supercivilizada, lleno de coquetería y sorpresa, ante el hermoso cristal esférico elegantemente solitario sobre una mesa lateral. Jílgoles sonrió como quien tiene erudición para todas las heridas. "En rocas de cristal serpiente breve, como dijo Góngora..." El otro hombre, con su cara magra e intolerante de Erasmo, pareció recibir ese nuevo alarde literario con fuerte impaciencia y condujo por el brazo a su mujer hacia otro sitio del salón, donde precisamente la figura de Hyeronimus Bosch enviaba desde el muro alto al espacio su triste raudal de tortura.

En pocos instantes estuvo el salón lleno de fracs y espaldas desnudas; gargantas blancas, cabezas de pelo corto, ensortijado y sedoso como el de ciertas figuras romanas. Los juegos de la luz prestaban de pronto un reflejo insospechado a los bustos más grises, revestían la actitud más vulgar con una asistencia oportuna, raptada, luminosa. Era como si una mano contratada también ad-hoc quisiera practicar sobre aquel acumulamiento de precauciones defensivas contra el tiempo deformador y la ignominiosa vejez un generoso jubileo, acto de olvido y reivindicación por algunas horas. Al mismo tiempo, según el modo como los sucesivos afluentes van llevando a un cauce mayor sus aguas dóciles, un torneo de conversaciones especiosas crecía y se multiplicaba en el mismo sentido de competente pretensión y rebuscada habilidad, como si la oportunidad de un acierto de expresión, gesto o palabra fuera a originar allí mismo la gloria ulterior. De hombre a mujer, de grupo en grupo, un bizantinismo en pugna. "Si éste finge conocer aquello, yo fingiré conocer lo de más allá." Resultado de lo cual: un rumor alquitarado, frases, tentativas de inteligencia, para las cuales ningún objeto parecía suficientemente explotable: obra de arte, o acontecimiento mundano, o teoría.

Manada recién bañada y perfumada —¡habían dejado atrás tantos baños anegados, aquella noche, con olor a sales de Atkinson y alhucema!—, fué desplazándose hacia los distintos mundos minúsculos del salón, ubicándose en los divanes que bordeaban los muros debajo de tal o cual pendón medieval o histórica tapicería. Con el mismo desenvolvimiento circular de la víbora que acepta en sus fauces la propia cola y crece para devorarse, los recién llegados servían de motivo a los que ya estaban para la alabanza o el escarnio. En un momento en que, algo más humanizada por la jerarquía social in-crescendo de los que llegaban, la señora de Rague suministraba los óleos de la bienvenida a Marco Portinori, embajador, en ese momento, el rico magistrado Constantino Esegovio y el Dr. Olandir —una indolencia casi beatífica, respectivamente, y una mirada astuta y rapaz— soportaban por parte de la sala como el asno de tiza al que es menester pintar a ciegas la cola, una tentativa general de ubicación en el cuadro de las morales en uso; todos los ojos los escrutaban. Lo importante es clasificar sin herir, que la clasificación sea cruda pero elegante, y no decir, así: "Distrajo fondos de una testamentaría" sino, con mayor fineza y precaución verbal: "Se distrajo a fondo en una testamentaría..." Pero, ¿es que podía alguien pensar cosa semejante del magistrado Esegovio, pongamos por caso? No, esta vez debía tratarse, sin duda, no de una distracción delictuosa sino de una mera distracción personal. Bastaba mirar con atención esa fisonomía suave, tranquila, invadida de una plenitud casi poética, de hombre a quien le ha sido bien dado el cargo honorífico de presidir tal comisión cultural, de administrar tal colecta para tal monumento histórico, la dignidad de ser públicamente considerado como uno de los pilares de la sociedad. Valdrá la pena estudiar alguna vez la psicología de esa extraña especie propia de nuestras sociedades: los sostenedores profesionales de la virtud nacional. Cuanto más intereses privados acumula el individuo de esa fauna, más estridente, intransigente es su grito en favor de la pureza pública. Extraña facultad compensatoria en la que el magistrado Esegovio era maestro y de la que no participaba en modo alguno el Dr. Olandir, a quien no le importaba gloria sino blanca, según lo que aquella noche fué comentado por ciertas personas exactamente en el instante en que los esposos Rague se acercaban un poco más al centro del salón acompañando a un matrimonio francés que descendía por línea indirecta de los duques de Enghien. "Olandir, cínico típico", comentaba un señor magro y alto de vistosa "châtelaine". — "A la inversa, este Esegovio tiene una sagacidad prudente de viejo prelado. Su pensamiento es digno: ¿qué importa mi conducta? —parece decirse—, yo profeso una moral sostenedora, yo animo a los otros a que se tengan rectos. ¿Acaso importa que yo sea un ladrillo negro si ayudo a sostener el blanco edificio?" El señor de la "châtelaine" sonrió intencionalmente.

—Los dos son igualmente cínicos —protestó un comerciante del norte con exagerada vehemencia.

El señor de la "châtelaine" lo miró con abundante desprecio, como quien ve levantarse una nube de polvo.

—No debería usted olvidar que el cinismo es una forma de aristocracia. Y de las menos fáciles, mi querido señor, de las menos fáciles.

Marta bajó sin alientos. Se había puesto un traje muy ligero que convenía a la frescura de su cuerpo cobre y a aquella expresión, a la vez inhibida y salvajemente desesperanzada, de sus grandes ojos grises. (Uno la creía ganada y de pronto aquellos ojos se rebelaban, se desesperaban, se agitaban.) Traía el cabello, graciosamente corto y lacio, tirante, brilloso, muy mojado; después de una inmersión refrescante apenas había querido secarse la cabeza. Ahora: este nuevo baño en un clima de inenarrable comicidad. Antes de echarse a bajar precipitadamente la escalera, se paró ante un espejo, se miró, alisó a la disparada la parte derecha del peinado; luego descendió de prisa, pero con el ánimo ausente y alejado. ¿Qué significaban para ella todas esas caras? En un segundo iba a hundirse en ese océano. Fisonomías, mentalidades, almas — ¿oculto en alguna de ellas podía esperarse la revelación de un mensaje humano, de algún rasgo no contaminado, puro, de algún instinto superior a la codicia mostrenca y a la aspiración a una vida cómoda y protegida? ¿Algo, simplemente, *natural*?; ¡pero ya era mucho pedir! Una planta, un animal reaccionan con una franqueza rápida que se parece a la inteligencia, tal cosa les gusta, tal cosa les disgusta, esto lo desean, aquello lo detestan — pero esta gente llena de precauciones exteriores, de modos, de preparación para el espectáculo, egoístas, vehementes por fuera pero interiormente adictos a una indiferencia sólo comparable a la muerte... ¡Bah! Le producían no ya asco, como dos años atrás cuando comenzó a verlos según el prisma que les correspondía, sino un sentimiento de pasivo desprecio, una conmiseración seca y áspera que ni siquiera valía la pena poner en movimiento debido a lo inerte de la causa que la producía. Bastaba con que, en poco tiempo, hubiera podido rechazar de sí el lento y fatal veneno que había infiltrado en ella, años antes, el contacto con aquella especie de almas; ahora estaba libre de su contacto, aun teniéndolas al lado, aun acercándoseles y cambiando con ellas las palabras desiertas y convencionales que formaban el reconocido código de la secta.

Entró en el salón; un rumor se propagó alrededor de ella; tres hombres jóvenes se adelantaron con efusivo entusiasmo y lujo de demostraciones. El más joven de todos hablaba tartamudeando, con el vaso del aperitivo en alto. Y pronto sus manos, las de todos ellos, obsequiosas, viriles, le ofrecieron otros tantos vasos, de los cuales Marta aceptó uno sin mirar de quién venía, con los labios secos de sed. Como una sal medicinal era el olor de limón, de la bebida con unas gotas de jengibre. Lo respiró antes de beber. Y fué saludando a la gente, con el vaso en la mano, reservando para cada cual una sonrisa, una palabra, accediendo de vez en cuando a mirar de paso una rosa, las fresias, los jazmines del país, no sin tener rápidamente y de soslayo una visión de toda

la fauna elegante que llenaba el salón. Hacia un extremo, aislados, reunidos por una noble afinidad de
cuna, estaban los visitantes de apellido preclaro: los
Muniagurri, los Pieláride, los Ugué; hacia el extremo
opuesto, los diplomáticos, desde el embajador al secretario discreto de cancillería; más hacia el centro, escu-
chando en aquel minuto la entusiasta aunque un poco
vaga descripción que hacía el señor Rague de un jarrón
francés rescatado de unas ruinas la noche de San Bar-
tolomé, la burguesía acaudalada, los peor vestidos por
los mejores sastres, las víctimas expiatorias de Patou y
Cocó Chanel, las abundantes señoras teñidas y los hombres demasiado grandes para el frac corto — ¡pero, ay,
a quienes Eugenia Rague no despreciaba!

—¡Marta! ¡Tesoro! — el señor Rague suplicó a su
hija con verdadero aire de mártir que lo asistiera en las
tareas ceremoniales.

Pero ¿no estaban todos? Era hora de pasar al comedor. "Esperemos todavía", indicó el señor Rague. Sus
ojos iban, preocupados, de la puerta de entrada al
sitio donde estaba su mujer. Pensó: "si Ráices no lle-
gara...", pero su boca hacía rato que estaba diciendo:
"...claro, la política obliga a considerar las cosas desde
ese punto de vista, en forma radical, que no deje lugar
a dudas. Desde el momento en que vacila, un hombre
ha dejado de ser un político..." Su rostro, verdoso ahora,
mostraba los rasgos de un perfecto buen sentido; ¿quién
habría negado que en aquel momento estaba encarnando
la prudencia, la sensatez, hasta la sagacidad? Sacó el
pañuelo de hilo blanco y se enjugó la ligerísima trans-
piración.

"En definitiva —decía uno de los del sector de sangre

azul, a quien escuchaban tres señoritas y dos señores
serios y cuya cabeza tenía como fondo accidental un
ancho tapiz colgado que representaba un «Descendi-
miento»—, la única actitud digna es en estos momentos
el exterminio. Barrer para purificar. El mundo perte-
nece a sus «élites» — así como una camisa de Edouard
and Butler debe pertenecer legítimamente al que la
sepa llevar mejor. (Sorbió un trago de «gin-tonic».)
Para que el mundo sea mejor debe pertenecer a los
mejores: a las razas depuradas por la tradición histórica
y privada. Estamos en retardo, si no se usó en el instante
del nacimiento de cada hombre la solución excelente de
la roca Tarpeya: el que no traiga su ejecutoria en la
sangre que pague su mal destino. Los destinos no se
hacen, se nace con ellos. Todo aquel que no haya nacido
para dirigir debe nacer para ser exterminado. *A bon
entendeur . . .*"

Marta hizo girar los ojos, vió a Drabble, solo,
bebiendo. Su imaginación evocó la escena de tres meses
antes, cuando ella y Drabble habían vuelto a la razón,
después de una noche de terribles esfuerzos, a aquella
mujer en desgracia que quería matarse a la salida de
un casino de invierno. Entonces, a la luz de ese fugaz
episodio, Drabble le pareció un hombre de pensamiento
honesto, sano y maduro. Se hubiera acercado a él con
gusto, ahora, pero no había concluído de pensar todo
esto cuando ya estaba nuevamente rodeada de idiotas
gárrulos y riendo con todos la anécdota estólida de
Vinle. Cabezas negras y brillantes, rubias y ricas de
esencias y ondas, elegantes talles que parecían sosteni-
dos por un resorte eréctil, labios graciosos y dentaduras
de un esmalte que jugaba vertiginosamente bajo las luces,

hombres que argumentaban, mujeres que reían, muchachas de encanto ambicioso agitadas por una inquietante inquietud, viejos abdómenes adornados con la ristra de eslabones y las dos perlas de la botonadura, facciones de hombres insidiosas, facciones de mujeres frías, miradas que buscaban desesperada y disimuladamente en el gran salón, cuyo piso de cera negra desaparecía ya del todo entre el moverse de pantalones negros, faldas de seda clara, charoles y raso; cada veinte, treinta personas joviales una expresión de tedio recalcitrante. Aquí, de pie, con la mano alta para argüir, un general rebatiendo a los tres ministros de aire intolerante que lo miran con callada reprobación; más allá, un abogado proyecto exponiendo su teoría sobre la nueva pintura: "...¡esto ya es algo morboso, una evidente degeneración del gusto hacia lo abominablemente deformado! ¿De qué sirven los años de experiencia en que algún pintor clásico estudió anatomía? Más valiera estudiar hoy la oceanografía de lo deforme en lugar de lo anatómicamente formal..." "Sí, sí, sí", vagos asentimientos de comerciantes, industriales, ante el grave político en pleno ascenso que expone sus teorías de protección a la olvidada industria vernácula; — "señores, reivindicación en todos los frentes de la pujanza nacional"; a un costado, la viuda reciente prodigando con lasitud su provisión de nuevas sonrisas después del duelo; no lejos, el bien educado y amable y elegante funcionario que levanta la estatuilla en la mano y explica profesoralmente ante tres pares de ojos abismados por tan repentina ilustración: "Ya en los siglos XIII y XIV —sin que afirmar esto resulte hoy aventurado, pues todos los tratadistas lo aceptan— la expresión de la figura humana tendía hacia esta misma exaltación del valor puramente espiritual o moral del objeto; he visto rostros de pajes tallados sobre hierro en los que la expresión dolorida podría confundirse con cualquiera de esos semblantes inocentes y raptados de Fra Angelico que se ven en los pequeños cuartos interiores de la pinacoteca vaticana..."

Frases, trozos de frases, trozos de palabras. Sus oídos, los oídos de Marta, estaban vueltos, accidentalmente prestados, a ese canto de la absurda sirena. ¡Sin embargo, eso le traía la evocación subterránea de tantas circunstancias familiares! El familiar aburrimiento, la familiar conversación, la familiar inutilidad, el arte familiar, la lectura familiar, los familiares hábitos, las familiares decepciones, los familiares dolores... el sordo y trivial sacrificio a lo familiar, la consunción en lo familiar... Lo sentía en los oídos interiores como los acordes discordantes y crecientemente estridentes de una marcha cuyas notas crecieran y rompieran y se multiplicaran incesantemente, incesantemente... La gran marcha del fracaso, envuelta en una sonoridad de dulzura empalagosa, constante, inefable. Infancia, juventud, tal vez vejez, envueltos en la misma dulzura empalagosa, constante, inefable. Aprisionada en esa atmósfera como la mosca en el papel Tanglefoot, desprendiendo a veces una mano con dolor para bajarla al fin y dejarla también pegada al papel igual que el cuerpo, las alas y las patas. Cada vez que iba a levantarse, esa sensación de estar atada, adherida al papel por la fuerza densa y dulce de la melaza...

Vió correr a su padre y echarse con gran alegría en brazos de Ráices. Bueno, ya se podría pasar al comedor. Un poco menos de estar con toda esa gente. Iba descontando el tiempo como cuando tenía once años y su madre la obligaba a permanecer muda y solemne en su silla del comedor. Entonces pensaba en los chicos que estaban afuera, las flores que había afuera, los peces que se movían afuera, en el estanque, los ruidos que hacían afuera las hojas cuando se levantaba el viento de la tarde, todo el mundo vivo, libre ... afuera. Afuera, las pasiones; el miedo, el gozo, el dolor real. Afuera, la vida, las ciudades, la gente — el aire, el agua, la tierra y el fuego. Afuera, la experiencia en su plenitud.

Ahora, con el vaso en la mano, con esas bocas, esos rostros de hombres ante ella, esas pecheras blancas y brillantes, esas risas y palabras sin pausa, en medio de tantas luces y colgaduras, y muertes, y pretenciosas vejeces, ahora pensaba también en ese "afuera", en ese otro mundo. En lo que estaba más allá de esta melaza, en el universo. Y la estupidez de cada hora suya pasada, presente, futura, se le agolpaba con una obstinación obsesionante en ese foco no librado, retenido, íntimo, secreto, de la conciencia.

(Se le representó bruscamente el carácter gris y horrible de aquel mismo día. La mañana, el despertar —única pausa—, un día de sol magnífico invadiendo la habitación alta y el café con la crema fría esperándola sobre la pequeña mesa portátil. ("Sí, sí, claro —convino con las razones que en el grupo daba el buen mozo a Rebeca Lagos que acababa de aproximarse—, claro.") Sorber el aire, desperezarse, levantarse, bañarse —llenarse de alegría inmotivada ante todo ese continente de aire azul y puro; a las diez atravesar el pequeño jardín ante la puerta de la casa, el césped mojado, verde, luego el asfalto todavía brillante con los charcos del riego, entrar en las calles frescas y sombrías antes de entregarse al resplandor de las once y el incendio del mediodía; haber rechazado los periódicos, todas esas letras infernales, y entrar de lleno a encontrarse, en las librerías de Florida, con los libros recientes de cubiertas blancas, letras rojas— tocarlos, examinarlos, hallar a veces una sorpresa, tal título con su discreta implicación de un mensaje...; dos palabras cambiadas al azar con el librero, luego nuevamente la calle; compras, no sin indiferencia, de modo mecánico, en Smart, en Harrod's; luego la suave sombra de la plaza y las fuentes de agua fría — las dos seniles figuras de piedra que simbolizan la duda debajo de los árboles de hoja impalpable; finalmente, de nuevo la casa y el almuerzo: la señora de Rague y el padre y Brenda pelando la fruta de noviembre, apurando los helados mientras la señora perora con uniforme persistencia al condenar un escándalo o rever secamente la actividad social a que les será necesario someterse durante el verano, hasta marzo; escuchar aquella voz, aquellos argumentos es como entrar en una siesta caliginosa, sufrir ese bochorno...; hasta el momento de levantarse y subir a los dormitorios y recostarse un poco, a solas, con la ventana abierta y las persianas bajas al resplandor; el teléfono, dos, tres veces, llamados, y las respuestas sin entusiasmo, invitaciones: "gracias, iré; no, no es necesario; bueno, exactamente". La tarde es el nuevo ciclo, menos fácil de remontar. A las cuatro, modista, consulta, es necesario colaborar en los trajes de Eugenia Rague; y las mil preocupaciones de la nueva estación, este brin, aquel "voile", los estampados vistosos, los frescos tejidos de hilo...; el té, a las cinco y media, en la confitería del Gas, con el matrimonio francés que ha traído excelentes cartas de introducción, M. y Mme. Barque —él, hombre silencioso, industrial de la uva en Burdeos, y ella echándose laboriosamente a cumplir por los dos "in the ground of courtesy", asintiendo con entusiasmo, brindando su acuerdo a todo, preguntándolo todo, eligiéndolo todo, depositando ante todo pequeñas exclamaciones de verdadera sorpresa...; al fin —cuando todavía no anochece sobre la próxima plaza Británica— visita a su viejo y constante amigo, Jorge Voldraz, en el estudio de arquitecto en lo más alto del rascacielo con los cuatro ventanales al río — para beber un vaso de whisky, un "highball", mientras se habla con la gente que ocasionalmente llegue, extranjeros, turistas, algunos aficionados yanquis a recorrer museos y cuya primordial necesidad es la de ser informados urgentemente sobre lo más típico y vernáculo de la ciudad; ¿qué le falta a Voldraz? — tal vez un milímetro, una raya apenas perceptible (a primera vista) de inteligencia, nada más que "eso" ¡pero a veces "eso" es tanto!; sí, parece que no fuera nada porque todo es bello en la vida sin necesidad de otro atributo que esa belleza, pero lo grave es que no hay nada bello que valga si no es por la inteligencia — son sus lazos los que nos conducen por los caminos menos esperados, más numerosos, y una humanidad sin inteligencia ¡qué isla sin caminos!; antes, Voldraz tuvo hacia ella pretensiones galantes —¡cada tres días llegaban aquellas orquídeas soberbias!—, luego fué una especie de desahuciado o convicto y se replegó sobre sí mismo sin protestas ni resentimiento; rara avis desprovista de orgullo amatorio que no dejó sin embargo de tener hacia ella una dedicación devota, digna, cosa que había dado muchas veces una agradable temperatura a aquellas conversaciones del invierno sobre cosas del arte y la vida en el estudio del último piso, en aquel pequeño mundo de cálculos y reglas, escuadras y proyectos, tan aislado sobre el nivel de la ciudad. Pero Voldraz no sufría de nada, todo le era igual, la bonanza como la tormenta, lo esencial era que pudiera trabajar sin ser interrumpido allá arriba, y cumplir con sus hábitos exactamente a las mismas horas, desde el despertar con el diario hasta la lectura nocturna de tres páginas de algún tratado...; algunas veces solía encontrarse en su casa algún personaje ansioso, hombre o mujer, con un sombrero o un traje diferentes a los que se veía a diario en las calles de la ciudad —algún hombre de pelo suelto, rubio, crespo, alguna mujer limpia de enredos y tocada con personalidad sin tener en cuenta los moldes generales. Pero aquella tarde todo había sucedido allí como si la sucesiva acumulación de tantas atmósferas diferentes y sin unidad entre los muros del departamento hubieran dejado al fin tras sí su ausencia, su desierto; Voldraz estaba solo, trabajando, y cuando ella llegó se pusieron a beber jerez y conversar, sentados frente a los ventanales por donde se veía, en su rápida llegada, la marcha nocturna. Ella lo había estado mirando largamente mientras hablaban, sin poder dejar de repetirse la misma obstinada pregunta: ¿cómo será por dentro la vida de estas gentes que han encontrado solución para todos sus problemas, contestación para todas sus preguntas? Voldraz era la tipificación más exacta de esos satisfechos. Y esto le traía a ella siempre ante él una fría desolación, una desazón singular, el hielo y la irreparable sensación de verse a solas con un pedazo de humanidad sin levadura, con una especie de presencia mortal ... El comprobar esto la llevaba hasta la inhibición; se había quedado callada, había intervenido entre los dos una gran invasión de silencio; al fin ella se había levantado, despedido, bajado, echado a andar por las calles anochecidas con la garganta todavía tomada por ese sentimiento de prisión que la vecindad de ciertas individualidades sin movilidad, ya conclusas, suscitan en nosotros.)

Un hombre de frac, alto, de cabellos lacios y estirados, pidió serle presentado; se cuadró ante ella como un prusiano, sonrió, se quedó serio, sacó su cigarrera, ofreció a todos un cigarrillo y luego se sirvió él, sin decir nada, mirándola fijamente y dispuesto a escuchar lo que se hablara. En ese momento, el señor Rague extendía la mano derecha indicando a los que le rodeaban el comedor mientras tenía entre los dedos de la otra el brazo arqueado y flaco de Ráices. Los invitados que estaban sentados se incorporaron con un automatismo gimnástico, uniéndose en la marcha hacia el comedor. "¡El otro acto!" — pensó Marta, y sintió sobre su brazo frío el brazo del hombre cuyo nombre estaba al lado del suyo en las tarjetas del comedor. Persistía el penetrante aroma a lavanda, esencias y naftalina. Al atravesar la mampara que separaba el salón grande del comedor, el desfile de fracs y trajes claros parecía la procesión protocolar de una boda, con la figura erguida y esquelética de la señora Rague en primer término. Los pequeños ojos de acero indagaron de golpe el aspecto del comedor, el aire de los sumilleres y mozos. Ella se sentía tan complacida y honrada por los acontecimientos como el almirante, su familiarmente venerado y querido Nelson, antes de Trafalgar.

...Él, que tenía los rasgos fuertes y vitales de la primera juventud, casi las facciones de un niño, en su rostro rudo y moreno, se sintió pequeño de estatura y un poco inquieto —no temeroso sino extrañamente cohibido y sorprendido— ante esos hombres armados que formaban la patrulla y el principal de los cuales, o por lo menos el que ocupaba la primera fila con cierta superioridad categórica (aquel hombre extraño de boca cruel y ojos confusos como si la boca mandara en ese rostro y los ojos padecieran la orden) le había dicho: "Venimos por usted".

"Pero —¿qué quieren ustedes de mí?—, preguntó, sin mostrar alarma sino fuerte perplejidad. —"¿Qué quieren ustedes de mí?"...

Materialmente hizo irrupción en la casa, tiró el sombrero en el guardarropa, avanzó por el hueco de las primeras puertas, interrogó a los criados, caminó apresurado por el salón y, con interior alivio, se incorporó abruptamente a los invitados que comenzaban a sentarse. No tenía tiempo de saludar al señor Rague. Él mismo se sintió ya en el comedor, mezclado a la confusa marea de hombres y mujeres, con su cara demudada de siempre, el pelo lustroso y mojado, con una crencha un poco suelta, las venas algo hinchadas en la sien. ("Ah, vamos a tener que aplicar ahí el termocauterio", le había dicho Islas, su médico, y él había contestado: "Otra vida, otra clase de vida es lo que curaría estos trastornos: menos ansiedad, menos afecciones del alma, menos preguntas y respuestas acogidas en tropel por la conciencia..."). Inclinó cortés y zurdamente la cabeza a este y aquel lado, acentuó un saludo, recorrió precipitadamente la enorme mesa buscando el lugar que le estaba reservado, al fin respiró, se plantó delante de la silla antes de que sus vecinos hubieran ocupado la propia. "¡Ajá!" Le pareció soportar en la sien, donde podía sentir claramente el latido de su corazón acelerado, las miradas de aquellos que, en la gran mesa, se sentaban, sin conocerlo, ahí con un ruido isócrono de sillas sobre la cera. (¿Qué podía curar en su entraña ese médico que no tenía otras armas fuera de una pequeña ciencia y una curiosa versación spinoziana — ni la ciencia le servía ni su modo de decir: "El gozo no es nunca malo directamente, sino bueno; por el contrario, la tristeza es directamente mala".) Llegaba siempre tarde a todas partes. Inútil tratar de modificar ciertas propensiones profundas. Sin embargo en aquel caso —espléndida mujer a la iz-

quierda; menos espléndida, madura, gorda como mujer
de burgomaestre la de la derecha—, sin embargo en aquel
caso su esfuerzo por llegar a tiempo debió ser mayor
—le extendía la mano, con una sonrisa de su boca húmeda y graciosa, la señorita de la izquierda, un cuello blanco y empolvado con dos ristras magníficas de perlas;
Julia Carves, decía la cartulina—. Su esfuerzo debió ser
mayor, porque la invitación, inesperada, de la señora
de Rague suponía un movimiento de buena voluntad
hacia él y hacia su obra. Tal vez un movimiento capri-
choso, tal vez le había gustado que le dijera el embajador de Inglaterra, a él y refiriéndose a su pintura en la
exposición, siete días antes: "una finura de dibujo, la
suya, una manera de pintar las manos entrecruzadas que
habría que ir a emparentar con Giotto y una fuerza de
expresión magnífica, a lo van der Heyden". A juzgar
por su aire encantado y sorprendido, la señora de Rague
creía en esos procedimientos comparativos: en seguida
se acercó a él y lo miró con cierta voracidad casi insolente. "¿En verdad acepta usted un parentesco con los
renacentistas? ¿Cuál es su concepción de la pintura
con respecto a la vida? ¿Debe estar una subordinada a
la otra — o bien la plástica es del todo independiente?"
Lo miraba con expresión de fiscal, como quien espera
que se condene el pez por la propia boca. Él se había
reído de buen grado y respondido, con hábil y evasiva
urbanidad. "Señora, yo no veo más que la forma y el
color de las cosas, la forma y el color de la creación,
pero mis más nimias exaltaciones o contrariedades, ¿pueden alguna vez dejar de influir en cómo yo vea esas
formas y esos colores?" Respuesta hábil, por lo que en-
trañaba de didáctica, y que atrajo a las mejillas sin carne

de la señora de Rague —concesión muy excepcional—
una sonrisa mitad de orgullo por su propia pregunta, mitad de congratulación aprobatoria. Y en esa circunstan-
cia feliz se originó la invitación para esta comida, a la
que llegaba ahora con agitación, en retardo, las manos
temblando, la respiración alterada.

La señora gruesa y madura como mujer de burgomaestre le dedicó una sonrisa amable, la señorita Carves hablaba con el vecino del otro lado; él miró, ya sereno,
mano a mano con la taza de consomé frío, el aspecto
de la mesa toda, el espectáculo, en el que era actor y por
este instante sólo testigo y todavía un poco ausente, de
bustos lujosos, ojos rientes, risas, exclamaciones, cabezas
que se inclinaban para uno y otro lado llenas de reticencia e ingenioso misterio; y, casi en el acto, atraído
en forma repentina, su mirada coincidió con la vista
inmóvil, interrogativa en su apenas transparente frialdad,
digna, fuerte y solitaria de la mujer que estaba del otro
lado de la mesa, un poco de soslayo respecto a él, con
su hermoso cuello cobrizo, sus hombros delgados y altos,
sus ojos grises, su soberbia elegancia, que tenía algo de
juvenilmente solemne y parco. Sólo ella era visible entre
los dos hombres de labios gárrulos que la asediaban sin
descender de la torre de marfil de sus duros cuellos lu-
cientes. No por un segundo, sino por persistentes instantes, se miraron, se miraron los dos, y él se retrajo
primero, por un mandato siempre vivo de su orgullo
alerta que no le dejaba aparecer como distraído de su
aislada y reflexiva sencillez por cosa alguna que tuviera
que ver con la figura exterior de cierta estulta burguesía,
de cierta seudo aristocracia; si estaba allí era por una
excepción cortés y quizá por las exigencias también, de

un arte cuyo objeto circula como mercancía y hay que vender. Esta necesidad la había visto siempre con rabia, eludiéndola en lo que podía, aceptándola sólo en los momentos más sombríos, cuando todo parece acabado en el orden de las cosas posibles y uno se resigna a verse como una célula que no tiene por qué asignarse a sí misma desmesurada importancia en el venal organismo colectivo. Dejó la mirada y levantó la taza de consomé, glutinoso y agradable en su hielo, bebiendo sin participar en la conversación, que crecía de pareja en pareja. No distraído, interiormente preso —y notándolo— por la influencia de aquella presencia cercana, por aquella estupenda mujer sentada casi frente a él. Y ella reía ahora, no tan abstraída de ánimo, al contrario, de buena gana, vuelta con todo su busto hacia el moreno figurín de la izquierda, un semblante macilento de vividor nocturno que echaba hacia atrás la cabeza en raptos espasmódicos para dejar escapar de su relato la palabra: "... ¡grandioso! ¡grandioso...!" y volver luego al tono monótono su peroración.

Más lejos, casi en el otro extremo de la mesa, extremo que coincidía con el estrechamiento natural de la perspectiva en el gran comedor, y en ese punto donde parecían haber convergido los "virtuosi" (pues estaban Grovenoles, el crítico de arte, y Farras, el músico), Grovenoles describía para sus vecinos, una señora anciana y una linda criatura de veinte años, la constitución de una camelia. Tenía la flor entre los dedos, en la actitud de mostrar un objeto extremadamente delicado, y se escuchaba a sí mismo con ostensible deleite.

Pero Lintas levantó los ojos de su consomé y volvió a fijarlos súbitamente en la mujer de enfrente. En el transcurso de un segundo, vió cómo el mayordomo se inclinaba al oído de ella, parado detrás de su silla, y cómo crecía en la facción de tez oliva, cobriza —los ojos se agrandaban, la boca permanecía entreabierta—, la inquietud y preocupación por lo que le estaba el mayordomo diciendo; y vió cómo el mismo mayordomo, casi en el acto, después de haberle entregado a ella un papel que ella leyó con precipitación, acudía a la cabecera, de prisa, respondiendo al llamado que acababa de hacerle mediante una seña la señora de Rague. Lintas oyó claramente, aun a una distancia de más de veinte invitados, la voz ronca de la señora que reclamaba: "¿Dónde está la niña Brenda? ¿Por qué no ha venido la niña Brenda?" Lintas miró a su alrededor: ni un asiento vacío, cualquier posible ausencia había sido cubierta oportunamente por la servidumbre. Percibió con plena claridad ese minuto, ese trance rápido e intenso de inquietud en las dos mujeres, y el cambio de miradas entre la señora de Rague y la mujer joven; pero el semblante de la primera siguió tenso, ganado por los vapores del fastidio, mientras en la fisonomía joven, la misma risa de antes ante la conversación del hombre de rostro pálido barrió el último rastro de cuidado.

Sensible a la extraña significación de aquel episodio aparentemente insignificante, Lintas, con un tono vaya a saberse si interesado, si gratuito, preguntó algo a su vecina de la izquierda, que se volvió hacia él para decirle un nombre: "Marta". Marta Rague. ¿Brenda? Brenda era la hermana menor. Volvió a levantar él la vista, esta vez sin deliberación expresa, según el movimiento natural que le imponía el gesto del mozo al depositar ante él un plato caliente y vacío. Entonces recibió plenamente, de frente, como una posesión, aquel mirar inquieto, triste, perturbado.

Sin que todo lo que el minuto que pasaba contenía de preocupación y de intriga le permitiera ceder activamente un ápice del oído al raudal sinfónico lanzado a vuelo por la orquesta, sentía Marta sin embargo, como un fondo vibrante y maligno sobre el que se proyectara su pensamiento, la ondulación del caos melódico, por instantes melifluo, por instantes acalorado y estrepitosamente enloquecido. Contra aquel fondo de música incesante chocaba su pensamiento cada vez menos móvil, cada vez más fijo en la imagen fija de Brenda. Nada podía distraerla ya, por transitoriamente que fuera, del sentimiento de estar dando al aire inútil su tiempo cuando seguramente la necesitaba Brenda, en aquel otro sitio —¡qué extraño!—, en aquel número y aquella calle que no olvidaría hasta llegar a ellos, que estaban escritos en ese pequeño trozo de papel doblado, junto a su copa. Tendría que calcular el momento de irse, a fin de que su salida pasara sin ser notada. ¡Y éste era otro, uno nuevo, de los apuros de Brenda, sorpresas que se iban haciendo, a pesar de su frecuencia, cada vez más terribles cuando le eran comunicadas! Acudía Brenda a ella como a un recurso siempre cercano, como a alguien siempre dispuesto a precipitarse en su ayuda, como lo había hecho una vez, siendo chicas las dos, desde lo alto de una roca, con riesgo de muerte, para salvarla de ahogarse, en los alrededores de Lausanne. Brenda no igno-

raba —aunque no se lo había dicho nunca— que Marta
se arrojaría siempre desde la roca al primer grito suyo
de peligro; Marta sabía —aunque no se lo había dicho
nunca— que aquella antigua pesadilla tantas veces dolorosamente soñada podía hacerse algún día real y se la
traerían algún día rígida, con el rubio cabello suelto,
desangrada... Nunca se comunicaban estas cosas, entre
ellas, ni otras; vivían las dos hermanas en invencible
reserva, invencible silencio mutuo, pero la presciencia
compartida de tal o cual movimiento esperado, desconta-
do, de la una hacia la otra ponía en esa reserva que las
enlazaba un principio de drama, algo realmente misterioso, penoso, de naturaleza indefinible pero muy fuerte
y cargado. Un día, el día en que el vórtice la arrojara, la
traerían con el rubio cabello suelto, sin sangre, desangrada... Y esta terrible visión premonitoria llenaba a Marta
de impotente espanto, la hacía volverse de pronto a Brenda con una inesperada ternura, casi con sobresalto, como
sucede con las madres, al soñar trágicamente con sus hi-
jos y despertar sin habla en este mundo, venidos del
mundo de la pesadilla. Era extraño cómo este silencio
cargado de presciencia las había unido sin haber sido
turbado nunca por palabra alguna fundamental fuera de
las palabras sin peso de la vida cotidiana y de esta o
aquella confesión puramente relativa al orden del aconte-
cer trivial, nunca al del sentir profundo. Estaban unidas
por lo que no sabían la una de la otra, más fuertemente
que por lo que pudieran jamás haber sabido. Unidas por
invisibles conjeturas conmovedoras — pesadas, densas
como la sangre. La una se preguntaba en el fondo de
ciertas noches terribles y sin salida: "¿Es ahora cuando
se va a arrojar a salvarme?"; la otra se preguntaba en

el fondo de noches de triste sigilo y presentimiento: "¿Es ahora cuando la van a traer?". Y las dos se encontraban, llenas de salud, al amanecer de esos lapsos sombríos, y se saludaban con los saludos de todos los días, ¡pero con un acento, con un fondo tal de acumulado amor y gratitud! — Marta pensó en aquella vez en que viajaban juntas en un tren, Brenda venía enferma, perseguida, acosada por obstinados males, e iban a encontrarse con un eminente médico en su clínica; Marta estaba pálida, la otra miraba el paisaje por la ventanilla; Marta se preguntaba: "¿Qué tendrá, Señor, qué tendrá?"; y mientras la sufriente seguía el viaje tranquila, apenas consciente de su mal, ella, la otra, sufría, sufría.

Siempre había sido así. La una en un vórtice, la otra mirándola desde fuera, el corazón angustiado. La una entregada al goce de una vida, la otra vuelta hacia el sufrimiento potencial de esa misma vida, hacia el espectro de un dolor siempre listo para entrar en la farsa. Y los años habían pasado. Y ahora estaba allí ese pedacito de papel, doblado en cuatro, como tantas otras veces, como tantas otras noticias que le traían de ella. Y esta vez Marta adivinaba la índole del asunto, lo venía sospechando desde meses atrás al observar a Brenda, sus amigas, sus evasivas, su conducta...

¿Con qué podía distraerse de tantas ideas negras? ¿Con esto que le decían a su lado? "...Oscar sostenía que el golf no era viril, pero yo le afirmaba: es más viril el golf que el tenis —¿qué duda cabe?—, mucho más viril..." Pero ¿qué decía el vecino del otro lado? "No, no me hablen, por favor, de esas películas que lo indigestan a uno; ¿qué es el cine, el teatro? — espectáculo... yo quiero espectáculo, no esas disquisiciones metafísicas fotografiadas como en *Fueros humanos,* donde el hombre no hace más que mirar las nubes; ¡como si las nubes fueran espectáculo...!". Y ella sentía irradiar calor de ese cuerpo en la atmósfera de verano, y ese calor era como esa voz: una emanación que no se producía sino para evaporarse.

Sus ojos se libraron por un segundo, tendieron fuertemente hacia ese otro lado. Miró nuevamente a la otra persona, que estaba enfrente.

¿Quién era? ¿A qué interior, a qué género de hombre, de ser, pertenecía ese rostro, esa cara de ciencia serena y predominio no forzado sobre los demás y sobre las cosas, predominio hecho casi de ausencia de profunda naturalidad y ninguna rigidez, ningún prejuicio, ninguna prevención o contrariedad o lucha con las cosas? ¿Quién era? Tenía la corbata graciosamente hecha, con un poco de descuido, y el frac mal planchado en ese punto donde las mangas estrechas se unían con la espalda bien desarrollada. Y el cabello nacía hermosamente, como si desapareciera hacia atrás, contento al dejar tras sí la frente proporcionada, tranquila, viril. (Ah, preguntas, preguntas que se dirigía con una esperanza no apresurada, no dispuesta a encontrarse de buenas a primeras con el chasco, con la realidad agria y contradictoria.) ¿Había visto alguna vez aquellas facciones? ¿Cuál era de los tres nombres oídos al pasar a la señora de Rague al enumerar los invitados, nombres oídos sin la menor curiosidad, sin atención alguna? Ni siquiera habría podido repetirlos. Pero experimentaba un placer discreto, injustificado, inesperado, viendo lo limpio y resuelto de ese semblante desconocido, sentado frente a ella un poco de soslayo. Intentó, casi mecánicamente, gracias a la rapidez de su instinto, aprehender la preocupación fundamental que aquella serenidad exterior, aquella calma, podían ocultar —¿una propensión hacia qué? Podía ser un comerciante en cueros, también un financista oscuro, también un rico marido lleno de ocios errantes, también, también, también... ¡todas las cosas imaginables...! Pero aquel cabello castaño de reflejos claros en su nacimiento ¿podía haber sido quemado ahí, en ese punto desde donde se levanta en una sola onda sobre la frente, por un fuego artificial, un incendio de ignorancia y nociones triviales? O bien... Pero ¿qué tenía el pescado que estaba tibio — qué cosa el vino blanco, que estaba tan áspero?

La rapsodia de Gershwin se quebró de pronto. Todavía quedó en el aire una miríada de vibraciones metálicas. Contenido un instante por las esclusas sinfónicas, el río de la conversación se desbordó nuevamente. Estalló la melopea de risas y exclamaciones, y Marta recogió en sus playas, a la vez, aquella última vibración metálica, un estruendo aumentado e imaginario, el gesto del hombre a quien había observado, que levantaba en ese minuto su servilleta, el torbellino de cabezas y hombros desnudos, y la imagen inmóvil de Brenda.

DESPUÉS de esa tercera contestación, ante los labios entreabiertos de la vecina de la izquierda que lo asediaba con su lujo insolente, volvió la cabeza hacia el plato donde le quedaba el último trozo de raya negra con alcaparras, y esperó poder comer unos instantes tranquilo. Pero el hombre propone... — tuvo que asentir

todavía con el bocado en la boca ante la pregunta de
si creía o no en la supervivencia de la novela y su triunfo sobre el teatro. Y luego escuchar la entusiasta argu-
mentación en contrario. Los lindos ojos de la mujer
brillaban de sed persuasiva: "Fíjese usted, ya ni un
Balzac, ni un Dickens..." Sin ningún entusiasmo ni
convicción, él se volvió hacia ella y dejó caer aquella
hipótesis, al azar; quién sabe si el genio de nuestro tiempo no resultaba no ya de una obra de perfección tra-
dicional sino de una obra de imperfección compleja, de
imperfección gigantesca, adecuada no ya a una norma
clásica sino a la anormalidad terrible de nuestra edad...
Pero la joven señora, tan distinguida y elegante de actitudes, permanecía en su aire de verdadera contrición por
la carencia moderna de un Balzac, de un George Meredith; y él le preguntaba, de paso: "¿Ha leído usted a
Meredith?", y ella contestaba: "Oh, no, ¡pero es tan grande!" — Con lo cual él seguía, despacio, con dedos de
cirujano, disecando aquella raya de espinas largas como
cuerdas de arpa.

Pero ¿qué importaba que aquella señora hubiera leído
eso o no hubiera leído eso? ¿Qué podía importar? Se
rió abundantemente, por dentro, de su propia pregunta.
Ella podía haber dicho sí: hubiera dado lo mismo. ¿Qué
es leer? Habitualmente un opio; un delicioso estupefaciente en el mejor de los casos. ¡Un estupefaciente!
Conocía tanta gente que había leído mucho — y cada
día, más estupidizados, más irremediablemente embota-
dos, más soñolientos, más dóciles a sus inacabables, con-
tinuas lecturas. "¡Leer!" Habría que preguntar otra
cosa a aquella joven señora, otra cosa con algo más de
sentido; con una ligera porción de sentido. Por ejem-

plo: ¿Ha sentido usted en su vecindad, en su cuarto,
ha visto usted aparecer de pronto en medio de su taciturnidad o su alegría al señor George Meredith? Toda
esa defectuosa, insistente, humanamente fallida, torturante acumulación de palabras, toda esa meditación, todo
ese agotador trabajo de artista que llevó a ese hombre
agobiado por años y años de pensamiento y faena a un
gran fracaso — ¿se han incorporado alguna vez a usted,
por ventura, como una tímida presencia humana, con
sus defectuosos, a veces persuasivos, gestos, con sus va-
cilantes, a veces ciertas, afirmaciones, con sus osadas, a
veces justas, hipótesis, con su inacabable cadena de sueños errantes...? Todo eso, toda esa suma escandalosa
de letras, ¿alguna vez se han acercado a usted en la
forma viva de una voz? No le pregunto si los ha leído
— sino si ha *oído*, si ha *visto* usted, al señor George
Meredith, al señor Balzac, al señor Dickens, al señor
Shakespeare... ¿Cree usted que eran grandes y triunfantes espíritus? ¡Ah! ¡Eran hombres tan llenos de vacilación como las peores noches de usted misma, tan inse-
guros, atormentados, decepcionados, fracasados en su in-
tento, y desamparados, como las noches de usted más
atormentadas, más inseguras, más oscuras, más caídas,
menos convencidas de llegar al puerto de la mañana!
¿Qué hará usted con leerlos, con recibirlos en su triunfo,
si no los recibe usted en su perdurable dolor, y en su
ineficacia? ¿Qué hará usted con asentirles, si lo que
ellos reclamaban, vehementemente, era no el asentimiento
de usted, sino sus réplicas, sus réplicas humanas? Todo
el arte es una grande, una terrible demanda de contestación. Ellos han querido, en todo caso, de usted, su irritación, su rebeldía, su amor — ¡pero vivos! ¡Se lo asegu-

ro, yo, que tengo el terror de la gente que se dirige a
morir en sus lecturas!

Y de este pensamiento — que habría sido estúpido
revelar a esa mujer de brazos espléndidos, cuya ocupación consistía ahora en comer en silencio a su lado—,
de este pensamiento, no se rió. ¡Estaba tan reducido a
esa amistad con unas cuantas obras! Tan reducido a
su cuarto lleno de invisibles presencias que ahora se en-
contraba allí con una cierta molestia hasta física, ignorante de su papel justo en ese mundo, casi sin aire, como
el hombre que pasa de un cuarto de calderas a una
atmósfera helada. Inhibido — y con un resentimiento no
del todo ahogado hacia sí mismo, un resentimiento agria-
do y desagradable. Uno se hace animal de caparazón,
después de un tiempo. Y al fin y al cabo, nuestro mundo
moral es tan reducido, tan sin vías de escape, de com-
pensación, como el mundo físico. Nos habituamos a ver
una tela de araña y cuando ya no está allá, la reclama-
mos, la necesitamos. ¡Universo triste y estúpido como
no puede haber ninguno! Aquella misma tarde a las ocho,
cuando empezó a vestirse, le había costado separarse de
su cuarto, en el que cada vez se insertaba, se retiraba más.
Temprano, había leído a Walter Pater, *dialogado* con esa
voz: durante poco tiempo, porque no quería agotar esa
conversación entretejida entre el autor y él sobre Pico
de la Mirándola; dejaba el libro y escuchaba y respon-
día. Años antes odiaba a los prerrafaelistas; los hallaba
tan complacidos en la delectación morosa de las formas y
esencias y bálsamos y retóricas, tan insoportablemente
exaltados. Luego, desde pocos meses atrás, se había re-
conciliado con algunos de aquellos hombres — como
Pater, como Ruskin — sólo por sentir lo digno y extraño

de sus pasos si se les comparaba a un mundo descompuesto en virtud de un exceso en el otro sentido, a un mundo perdido por lo extremo de su hielo de conciencia. ¡El mundo visible, *eso*, lo veía ahora como una masa tan densa de estupidez y bajeza y complacencia en su sequedad ignorante, conforme y reticente, que aquellos románticos de quienes había ásperamente abominado en otro tiempo, le parecían ahora extrañas presencias revestidas de una calidad tan digna y hasta elegantemente sobrehumana!

Mankind, you dismay me.

¡Humanidad! Precipitada, descendente como las masas lentas de lava en las faldas de las elevaciones pobladas; contaminada, ¡tan prevenida y estúpida en su animalidad autodefensiva! Tan desmantelada de naturaleza... ¡Yacente en un lecho sin ropas con su obscena belicosidad, y su argüir de labios pesados y las manos apretadas como garras para retener sus pequeños bienes, su esquerosa tesaurización de odios y hambres y tiranías histéricas...!

¡Puah! Era mejor mirar esa cara cobriza de mujer, ahí enfrente, de ojos orgullosos y solitarios, o comer esta fina lonja de carne sazonada con Madeira. Cerrar las puertas de uno a la humanidad mientras sea noche y vivir para mejorar de adentro hacia fuera, sin prisa, sin espejismos, sin codicias, sin agravios y hasta con muy pocas esperanzas... La esperanza vendrá para los que ya no esperen nada. La esperanza vendrá cuando haya pasado mucho tiempo, mucho tiempo, y para los que ya no esperan nada.

Lintas levantó la copa y, con gusto, bebió. Sus ojos buscaron aquellos otros, un poco de soslayo, pero estos otros rehusaron volver desde aquella abstracción visible y fija con que atendían —los labios rojos y húmedos entreabiertos, dejando ver la línea sorprendentemente blanca de los dientes en la faz oscura— a uno y otro lado y aun enfrente, al embajador Portinori, a Marco Portinori.

Estaba cerrado de puertas. Él, sí, cada vez con más vocación de no ser nadie. Clausurado — ánimo y espíritu... menos cuerpo... porque todavía le gustaban mucho esa salsa y esa carne, todavía sentía fuertemente el suave olor a cedro de la cabeza de la vecina de la izquierda, el olor de esa nuca peinada en espirales y vuelta desde hacía un rato con atento y femenino regocijo hacia el señor de más allá... Estaba firmemente decidido, por otra parte, a tomarlo así, tranquilamente, sin drama — decidido a dejar que la vida entrara en él por la naturaleza, no por los gestos de los hombres, hasta quién sabe cuándo. Sin embargo, aquel resentimiento recóndito, aquellos cargos contra sí mismo por estar en aquel momento allí... Es que, a la postre, ¿valía la pena tenerlos en cuenta?

La señora gruesa como mujer de burgomaestre le dedicó una mirada interrogativa y una sonrisa de curiosa bienaventuranza desde lo alto de su pecho, dificultosamente ceñido en el estrecho escote plateado.

"¿Sabrá usted algo, señor, de ese nuevo tratamiento para el cáncer de que hablan tanto los diarios? ¡Es un mal que me preocupa tan constantemente! No es simple miedo; ¡dicen que la herencia juega un papel de tal modo importante! Y mis abuelos... (Bajó los párpados señalando piadosamente la tierra en un signo de contristada inteligencia...) los dos... del mismo mal. ¿Querrá usted creer? ¡Los dos!" (Volvió a mirar el piso donde no se veía tierra simbólica, por cierto, sino el brillante parquet.)

¡Ah, no! Podía estar tranquila esa señora. Aunque no supiera él nada de ese tratamiento podía estar tranquila. Debía faltar seguramente mucho tiempo antes de que fuera a morirse, antes de que fuera abolida esa misteriosa y de sobra prudente diferencia que el destino había querido guardar entre su pecho blanqueado a fuerza de polvos de arroz y el pequeño trozo de carne aderezada que en aquel momento se llevaba a la boca.

Nuevamente se oyó el gemido agudo y cálido del violín entre dos torrentes de jazz. Debajo de la luz fría y pálida de la araña, en la pausa entre el servirse de dos platos, mientras las copas de fuerte vino blanco se alzaban casi isócronamente como se habían alzado algunos minutos antes en el otro intervalo de masticación, el rumor creció de punto y una que otra carcajada sonó rota, como la lluvia de un cristal destruído sobre la confusa masa de voces. Era tanta la distinción de cada gesto, la elegancia de cada actitud, el refinamiento de cada réplica, la supercivilización de tantas cabezas entregadas al juego de aquel aristocrático comer y conversar que el espectáculo era revelador en el sentido de mostrar cómo un genio gratuito e inaplicado moría y renacía, semejante a las burbujas del hervor apenas declarado de un géyser. Y lo propio de aquel genio mundano, la condición de su brillo, consistía precisamente en hervir inaplicado, libre e inútil como el innocuo delirio de una jovial y monótona demencia. Era inadecuado pensar —ante tanta animación y lujo actuantes— lo trágicamente que la vida podía entrar de pronto en esa comedia, paralizándola con una admonición, con una sola palabra fatal y recordatoria, escribiendo en la pared el mane, thecel, phares; era inadecuado pensarlo, como habría sido inadecuado medir lo que en el fondo remoto y secreto de su ánimo pensaban, en la cabecera de la mesa, el señor Rague y el señor Ráices, al producir aquellas extensas explosiones de amable cordialidad que los dejaban con la boca abierta y riente —¡oh, tan de acuerdo, tan felices!—, con los bustos oblicuos contra el respaldo de sus sillas; inadecuado, todo aquello que en aquel minuto de música, mujeres, risas y palabras no se dejara impregnar desaprensivamente de esas esencias espirituosas, lanzándose al espacio como una parte de la abrupta y espontánea liberación de tantos cuerpos constreñidos durante el día. Los embajadores de uñas pulidas por un minucioso trabajo de manicuras conversaban con las matronas en traje de seda negra; las señoritas pensaban en una coincidencia probable de gustos y aspiraciones con alguno de aquellos jóvenes de altas cejas indiferentes y boquilla larga (sobre tal o cual tipo de vestido tal vez ellos podrían aconsejarlas mejor que Mainbocher o Schiaparelli); un viejo escritor inglés bostezaba sin disimulo; las señoras jóvenes se esforzaban en aparecer como algo más liberales y libres que lo común, que lo acostumbrado, levantando ostentosamente sus cuellos en la carcajada como buches hinchados de palomas; los hombres solteros de digna, discreta, solemne apariencia miraban a derecha e izquierda con aires de no mirar, como el gato sabio que hace su comedia...

"¡Qué ambiente tan animado y agradable!", dijo, astuto, el senador Birlas poniéndose en la solapa un clavel rojo. Otro de los invitados, que estaba enfrente, lo acusó con la barbilla, en una mueca de desprecio, ante la mujer que tenía al lado; ésta miró al senador desganadamente mientras mojaba los labios una vez y otra vez en el vino tinto recién servido. Casi todas las señoras reían y algunas mostraban en el rostro una tonalidad roja muy subida.

El embajador Portinori había hecho durante el transcurso de la comida esfuerzos tan desesperados como vanos por ser oído; al fin, a los postres, sus dos vecinos más próximos pidieron silencio con un largo: "¡pst!" que corrió por toda la mesa con algo muy categóricamente conminatorio; la señora de Rague no ocultó su complacencia y se quedó a la expectativa; todos los ojos se volvieron, con una curiosidad no muy cordial, hacia el lado en que se desarrollaba, detrás del plato con el durazno melba, la curva adiposa y convexa del busto del embajador; éste mostraba sus mejillas lustrosas de "bon viveur", una doble papada en la que parecían clavarse ofensivamente las puntas del cuello alto, la nariz casi desaparecida en la masa lunar del rostro, los ojillos ligeros y suspicaces que corresponden a una vida de muchos secretos guardados y muchas flaquezas comprendidas. Se puso en pie. Quería, solamente, decir en forma cortés y epigramática las gracias a los esposos Rague por su hospitalidad y por haber llegado a un punto alto de la vida sin abdicaciones, sin conceder nada a la "vulgaridad ensoberbecida que trepa incesantemente a nuestro alrededor en los tiempos que vivimos"; con su ancho semblante rasurado y su voz pausada, pastosa, conceptuosa, tenía algo de abacial, influencia prelaticia que encantaba soñolientemente a los comensales después de los helados y el vino.

"Así como el cardenal Jiménez —comenzó— llevaba bajo su santa púrpura el sayal a fin de comportar en sí el constante desmentido a su gloria de dignatario, llevamos todos bajo nuestras capas más o menos vistosas una trinchera moral, tan tiroteada y maltrecha que vemos venir con gozo el momento de dejar entrar a esa trinchera a los que sentimos seres de paz, amigos, déjenme decir: compañeros. Cuando se entra en esta casa, uno deja las armas afuera con alivio . . ."

Su mano se alzaba en apacible gesto pastoral y perduraba en el aire como dando prolongación a sus palabras; si algunos lo escucharon al principio con curiosidad, la mayoría lo miró después con indiferencia y todos continuaron luego con sus exclusivas conversaciones; sólo la señora de Rague hubiera deseado no ver perdidas las frases del diplomático sino por todos recogidas, guardadas y recordadas — pero allí donde hay una docena de personas hay una docena de facciosos, ella no lo ignoraba. Y miró a los comensales, sus invitados, con cortesía glacial, mientras retiraba de la mesa sus brazos descarnados, que tenían una extrema palidez de muerte.

Al levantarse de la mesa se acercó disimuladamente a Marta. Le preguntó con violencia: "¿Dónde está Brenda? ¡Otra de sus informalidades! A ti te correspondería impedir estas cosas". Se alejó. Sus labios adoptaron ante el grupo que la separaba del jardín, la sonrisa de rigor.

A l fin, ya fuera del comedor, la teoría de cuerpos satisfechos y rostros radiantes se desparrama en el salón y en el jardín. —¡Hay que bailar!— La señal es ese momento en que un viejo vals de Strauss substituye a las sinfonías sincopadas y entran los violines a reconquistar nostálgicamente el terreno perdido. Una carcajada larga y metálica suena allá, mientras aquí un gracioso brazo cae suavemente sobre el paño del frac oliente a naftalina y alhucemas. El director de la orquesta sonríe, junto a la mampara abierta al jardín, la batuta en alto, con aire juvenil, entusiasta e indulgente, como si tuviera la sensación de estar dirigiendo no sólo a esa pequeña falange de músicos cuyas deudas, miserias y tropiezos familiares conoce hasta el cansancio, sino a ese apretado y brillante conjunto de figuras poderosas, aristocráticamente solemnes en el fondo de su aparente obsequiosidad. El jardín es enorme y está iluminado sólo por parcelas con graciosos farolillos al borde del césped; pero un reflector poderoso arroja su espectral invasión sobre el tablado, donde ya bailan diez o doce parejas. De pie al lado de una estatuilla griega puesta sobre alta columna, Lintas bebe su café, solo, en el salón — ¡ah, sus compañeras de mesa han sido pronto rescatadas por unos maridos de celo vivo! — Lo circunda, bajo las arañas, un lujoso torbellino. Ya sabe que Marta baila fuera, en el jardín, y él —para conocerla— la espera aquí parado, como un extranjero contemplativo que esperara respuesta en un sitio donde la alegría de tantos lo deja solo. Pero ¿qué importa? Ya cree su caso perdido en el mundo y se mira a sí mismo como a alguien a quien no hay que conceder ninguna benevolencia — sino, al contrario, conducir cada vez más hacia un total olvido de sí. ¿No es éste el modo de llegar al gozo del pobre universal, o del soberano? Tenía siempre presente aquel pensamiento: "Hay un modo de tener el aire de un monarca cuando no se tiene ni bienes ni corazones sobre que reinar: parecer haber perdido los unos y otros otros". ¡Qué razón, viejo Thomas Hardy! Haber perdido los unos y los otros. Haber sido dejado atrás por los unos y por los otros —mejor dicho, haber tomado otro camino que los unos y los otros, más lento, menos seguro, menos ostensible, más secretamente ambicioso. ¡Adiós! — la gente aplaude, y vuelta al mismo vals de Strauss. El gozo del director ya no cabe en esa cara abotargada y rojiza; levanta los brazos y hace una pausa, lo mismo que si quisiera hacer sentir bien esa promesa: "Seréis como dioses". Y he ahí hecho realidad —¡tan barato precio!— el ofrecimiento de la serpiente, porque todos ellos se sienten pequeños dioses triunfantes después del vino y la buena mesa, un poco aturdidos y alegres al dar vueltas y vueltas sobre sus pies. ¡Como dioses!

Lintas, con un gesto vivo, se vuelve —ah, no es más que el mozo extendiéndole la bandeja— y sobre la superficie de lustrosa plata deposita el pocillo vacío. Bueno, así se llevan cada día nuestra última esperanza en los hombres de hoy: como sobre esa bandeja de plata. Y viene luego la esperanza en otros hombres... ¡Oh, credulidad, credulidad humana, tierra vacante, tierra que sin cesar se puebla y se desocupa! Esperanza — una vez ida, otra vez vuelta, inconstante océano de mareas constantes. "¡Perdón!", dice un señor tímido que acaba de llevárselo por delante, apurado por alcanzar al mozo que reparte los "fines", los cognacs añejos, en copas de panza abultada. (¡Que pase! Hay que dar paso a todo el mundo: ¡mientras les sea leve el apuro...!).

Pero ya viene Marta. Con su compañero —el hombre del semblante amarillento de vividor nocturno—, entra, vuelve del jardín. Una vez más se miran como con reticente y raro desafío. Ella desvía los ojos y marcha, erecta, digna, mientras la mirada de Lintas la sigue hasta el sofá donde va a sentarse, casi ahogada de calor. Es más grande el sofoco del jardín que el relativo fresco del gran hall. Hay sin embargo tanta gente allí, sentada y bebiendo o de pie, hablando, riendo, espaldas que se curvan hacia atrás en el estertor de una risa, flexibles cuerpos que avanzan acompañando un halago, un ataque dialécticamente emboscado...

Lintas no dudó, su instinto no dudó. (No era tal vez el momento, pues la orquesta había cesado y la migración de parejas entraba ya en el comedor — y además no sabía qué iba a decir ni qué hacer.) Pero avanzó rectamente, fué hacia ella, estuvo en un segundo plantado ante esos ojos cuyo gesto fué rápido y celoso al mirarlo, al interrogarlo. Había en él algo en extremo agrio y violento; así, dijo su nombre ásperamente. "Soy Lintas." Ella lo siguió mirando sin inmutarse, sin reaccionar en apariencia, casi fría, casi del todo desinteresada — como quien a un gesto demasiado vehemente e inelegante contesta con una indiferente serenidad de siglos, con una cosa de ancestral soberanía y orgullo calmo. "Sí —dijo—, sí, sí" —apenas aquiescente a la débil resonancia que en su memoria suscitaba ese nombre de artista, indiferente ahora al ardor áspero y persuasivo de ese hombre que le daba la mano y a quien había mirado con inquieta curiosidad durante la comida—. "Sí, conozco su nombre." Y presentó a su compañero, que se puso de pie y saludó de mal talante.

No, ni él iba a ceder, ni ella iba a ceder. Las dos eran naturalezas hurañas, categóricamente reservadas. Él había dado ese paso hacia ella odiándose, odiándose por semejante abdicación de su soberbia soledad, por haber ido —casi valiera decir— a buscarla; y ella se habría odiado si no hubiera tenido hacia ese extraño aquella actitud que correspondía a la ostensible pretensión del otro, aquella actitud casi glacial. Estos seres cuya soledad crece entre turbas ¡cuándo vencerán su desconfianza! Son tal vez la levadura del mundo, pero viven escamados, mudos, recelosos. ¿Qué civilización abrirá las hojas de esas compuertas herméticas, librará al libre mar humano esos ríos de claridad y secreta vida? Tal vez ninguna...

Y vino a salvarlo, a él, en el instante mismo del embarazoso silencio, cuando hubiera sido difícil abrir la boca sin estulticia o inoportunidad, el diluvio de los instrumentos lanzados a su tremendo delirio. Él la invitó a bailar; ella se levantó. Lintas sintió a unos centímetros de su cara esos ojos grises; luego, apretados contra él, tocándolo, ese cuello, ese pecho color terracota oscura, a la vez macizo y delicado. Y al bailar sintió que aquel cuerpo, duro de consistencia, sano de carne, sensible y palpitante, no tenía peso. ¡Qué extraño era sentir latir el cuerpo de aquella mujer de hermosura huraña! Él estaba invadido por su olor, tocado por su piel, cercado por ese territorio vivo; sí, el cuerpo que tenía abrazado, lo cercaba, lo contenía.

Giraban bailando sin hablar, serios, oyendo el murmullo del cantor que acompañaba monótonamente la melodía.

Después volvieron al sitio del salón donde ella estaba antes sentada y de donde había desaparecido el hombre de la cara de ave nocturna. Era cómodo ese silencio entre los dos; y cargado, cargado con un sentimiento mutuo de cautelosa curiosidad y cierta secreta complacencia severa, como la que sentirían dos grandes desterrados en remotos países al hallarse de pronto en un mismo camino, todavía silenciosos y huraños el uno para el otro, pero con plena intuición del contenido de esa reserva. "Y además he visto algún cuadro suyo en lo de Steiner, una composición muy sombría y sin embargo verdaderamente atrayente", dijo ella después. "Es la ilustración de un viejo poema ruso —dijo él—, un poema de desolación terrible donde todas las ilusiones humanas parecen haber llegado a su fin." "¿En el momento de pintarlo, estaba de algún modo vinculado a ese estado de espíritu o fué simplemente la interpretación de un estado de ánimo ajeno?" "Nada se puede hacer en arte —dijo él—, por lo menos en lo que ha de ser duradero, sin comprometerse del todo, de los pies a la cabeza; sí, yo estaba entonces en un ciclo particularmente oscuro, llevaba una vida llena de decepciones y salidas cerradas; acababa de dejar la Universidad y no había cosa que no me pareciera falseada, convencional. Pero reaccionar con pesadumbre ante las circunstancias es prestarse a uno mismo demasiada atención. En mí, puede creerlo, todo eso es cosa ya pasada." Marta volvió los ojos, vió en los ojos de ese hombre una sinceridad simple. Pero había algo en sus facciones que denotaba un ardor extinto, en la mirada la orgullosa supervivencia de un brillo casi inmóvil, cuyo fuego original carecía de gozo y no era sino la llama sombría de un coraje altivo ante la vida.

Tenían los dos demasiada altivez para trabar un diálogo flúido. Su diálogo estaba lleno de pausas, retenimientos, cautelas — de palabras que no comprometían en modo alguno la parte estrictamente hermética de aquellas dos naturalezas. Más aún: cierto instinto oscuro llevaba a Marta a replegarse en su resistencia, a mostrar a ese extraño sólo la dura brisa exterior del clima de isla de que estaba habitada.

Diplomáticos, señoritas, caballeros y señoras, como olas concéntricas que aumentaban y decrecían, se apretaron, se separaron en parejas de ritmo lento, dando a su conjunto por la fluctuación del vals un movimiento similar al que abre y cierra una corola; cabezas, pieles y zapatos relucían con el mismo éxito, logrado a fuerza de grasas perfectamente frotadas; el dulce desmayo de ciertas señoras era conducido no sin contraste, al compás de la música, por unos ojos abotargados de comilón o por el doble pliegue de una papada senatorial; "chez les jeunes", las cosas eran algo diferentes: quien más, quien menos, cada cual se sentía, en el abrazo transitorio, portador de un posible sueño, éxtasis o drama —¡la vida decidiría!— y el acento parecía puesto sobre la necesidad de improvisar en el acto una actitud propia del futuro sueño, el futuro éxtasis o el futuro drama. Marta miró de soslayo el radiante tumulto — vió al señor inglés de piel color madera que bailaba con raptada solemnidad; luego, al volver sus ojos lentos y cargados hacia Lintas, que sacaba de la cigarrera un cigarrillo, sintió, con sobresalto e impaciencia, que el momento había llegado de cumplir el mensaje de Brenda.

Por un instante, cierta curiosidad —no sin recelo— ante el carácter, ante la determinación franca y segura de esas facciones del hombre, la había retenido sin dejarla pensar en otra cosa. Era como si el deseo de ir más adentro en un territorio vecino la hubiera llamado imperiosamente a su tentación. Pero tenía que marcharse. Inmediatamente. Y cuando se lo dijo, cuando le anunció mediante una excusa vaga que estaba forzada a salir por unos instantes, él, por primera vez, dejó escapar, a través de su reserva, unas palabras llenas de solicitud: "¿Es que le pasa algo, alguna aflicción? En unos segundos ha cambiado de color". Y ella echó atrás la cabeza y dijo "no", secamente, como si esa voluntad repentina de irse no necesitara ser explicada ni comentada, sino simplemente llevada hasta el final.

En medio del fragor metálico de los cobres, que recomenzaban sin intervalo después del vals con su desenfrenada explosión, lleno aún, frente a aquel reunirse de parejas que no resistían a lo salvaje y sincopado del furioso ritmo, de una embarazosa inhibición cuyo origen él mismo no habría sabido definir, ahí parado como una columna, y vuelto de pronto a su condición de extraño y proscripto entre tanta gente y tumulto inexplicables, Lintas vió la espalda desnuda que se alejaba, se apuraba, desaparecía.

...Tenía una mano en el pestillo de la puerta de basta madera y la otra un poco encogida hacia la cintura, con aquella figura graciosa de hombre joven y el pan pálido entre los dedos pálidos. "¡Vamos! —dijo otro de los hombres de la patrulla, uno de los de atrás—. ¡No es hora de conversaciones!" En la noche, en el aire opaco y pesado de la noche, noche de tormenta hacia el este en que se oía el raro eco lejano de ciertos gritos animales insólitos y repetidos, era difícil distinguir la fisonomía de esos hombres. En su inquietud, sólo pudo él ver, indiferenciados casi por la confusa proximidad en que todos ellos se apretaban, la curva lodosa y pelada de una nariz aguileña de base ancha, el desorden de unos cabellos oscuros sobre una frente, la tarabita mohosa de un cinturón, las arrugas transversales de un ceño, la obesidad de un pescuezo sudoriento por sobre el abierto cuello sucio de un traje pardo, las barbas crecidas, descuidadas, la suciedad, el aire, en fin, impaciente y la amenazadora fijeza de todos esos ojos...

Los faros del automóvil iluminaron vertiginosamente rombos claros sobre el pavimento de betún negro. El barrio de los teatros estaba en su hora de luminoso apogeo, crepitaba la luz secamente galvanizada en los arcos viejos, y era necesario tener cuidado para no llevarse por delante a toda esa muchedumbre que se acercaba en la noche a los faros, torpe y encandilada, retrocedía, llenaba las aceras a lo largo de las grandes bocas iluminadas: bares y restaurantes y teatros. La luz de los faros recortó de pronto la forma de un plátano, luego los pórticos homogéneos de las ricas casas privadas, antes de entrar con su haz vivo y lechoso en las piedras del barrio humilde, al oeste de la ciudad. Marta llevaba los ojos abiertos a ese tráfico, los ojos del alma fijos en un panorama inmóvil. Ese panorama inmóvil era su vida clavada a un poste — alrededor, el tumulto; en medio del tumulto: Brenda, girando con el frenesí de todas aquellas figuras que acababa de dejar en los salones de su casa, entre flores de gran lujo, floreros Tchang y apolilladas tapicerías...; y un semblante inmovilizado para ella, en el tumulto, un semblante de hombre, una cara emaciada, unos ojos honestos. Pero ella se resistía a esta imagen; estaba repitiéndose, desde adentro, con deliberada tenacidad: "no quiero pensar —no quiero pensar — no quiero pensar — no quiero pensar"; e interiormente cerraba con fuerza los ojos, esos mismos ojos abiertos al riesgo del enorme tráfico. ¡Ah, pero los ojos profundos no querían permanecer así! También se abrían; se adherían a la imagen inmóvil. Y ella, con el volante en la mano: "no quiero pensar —se encarnizaba en decirse—, no quiero pensar, no quiero pensar, no quiero pensar".

L a mujer que entreabrió la puerta tenía una cara agria, unos dedos esqueléticos y un cuerpo de carnes fláccidas; oyó el nombre y abrió del todo, sin decir palabra, colocándose lateralmente de espaldas a la pared a fin de que el acceso al zaguán quedara libre. Marta entró, siguió por el corredor mal iluminado y oyó, detrás, el ruido de las zapatillas de la mujer al golpear el piso de baldosas. Llegaron a un vestíbulo pequeño, mucho más oscuro que el corredor, donde la mujer le dijo que esperara, y que estaba adornado con plantas artificiales, pequeñas estampas azules de la Costa Azul, almohadones de encaje y estatuillas de falso bronce. "Le avisaré", dijo la mujer y desapareció detrás de la puerta de dos hojas cuyos vidrios estaban cubiertos en la parte interior con unas cortinas opacas, marrón. Al quedarse sola, Marta oyó el péndulo del reloj. Una luz se encendió, adentro. Flotaba en el vestíbulo un acre olor a grasa derretida y el mustio helecho de la maceta parecía, sobre la mesa, en mitad del cuarto, mortificado por esa vecina pestilencia. Minutos después reapareció la mujer. "Entre", dijo.

Marta cruzó el cuarto lleno de muebles de hierro blanco y cajas quirúrgicas. Sin sorpresa; ¡lo había imaginado tan exactamente! Dos años antes, las vueltas de la vida de Brenda la habían llevado ya a un escenario similar. (¡Y ahora — en esta misma, mismísima noche! Si se contara no sería creído. Tan justo...) Sintió en las narices el tufo del formol. Precipitó el paso y entró en aquella alcoba donde Brenda, exangüe, descansaba.

Marta tuvo apenas ánimo para apretar la mano, preguntar, arrasada de tierna alarma: "¿Otra vez?" Recibió en el corazón el mirar de aquella enferma, su hermana. Y la voz caída, contestando: "Otra vez". ¿Cómo estaba? La respuesta se le adelantó; estaba perfectamente, sólo un poco dolorida, la operación había durado un cuarto de hora, y sin anestesia. Marta se sentó en el borde de la cama. "¿Qué había sucedido, debido a quién?"

Brenda dejó caer en ella sus ojos verdes, casi infantiles, doloridos sin queja. No tenía por qué preocuparse, ella, Marta. Si la había llamado era para pedirle sólo que la justificara en su casa y la ayudara todavía en aquel gasto, cuyo monto sobrepasaba esta vez lo que pensó y lo que había pagado antes. Sin embargo había tratado de hacer la cosa lo menos gravosa posible y si había recurrido a esta mujer ... El peligro de infección es lo más peligroso de todo. Pero ¡qué mano de mujer! Sólo se sentía después del desgarramiento, la entraña mutilada; durante la operación, ni un rasguño doloroso. Ahora que —esta vez ... el dolor, aun durante la operación, había sido otro, no físico, de otra especie ... ¡Qué laceración moral! A esa prolongación ya viva de su carne, a ese trozo de criatura que comenzaba a vivir en su interior y que había destruido, ¡cómo habría deseado librarlo vivo, *tenerlo*, alzarlo, salvarlo!

Pálida, Marta la dejaba hablar. Veía aquella agitación profunda dentro de ese cuerpo caído. Y la recibía, la canalizaba. De todo su cuerpo hacía como un puerto, playa, para ese dolor explícito. ¡No, ella no sabía, no sabía lo que significa esa laceración! Una vida que se arranca de otra vida. (Los ojos verdes de Brenda parecían no parpadear; la piel, pálida como el ópalo; la garganta demacrada.) Que se arranca de cuajo, junto con deseos y protestas tan informes y oscuros, desde el fondo de la entraña — ¡deseos, protestas que no habían llegado todavía a formarse, a formularse! Porque esta vez, si no se hubieran opuesto tantas cosas, habría deseado olvidarlo todo, aun la tibieza delictuosa y acomodaticia del hombre de que se trataba, con tal de haber librado del vórtice de su vida esa otra vida naciente, distinta, capaz de ser diferente de ella desde el instante de su advenimiento hasta su desarrollo. ¡DISTINTA! ¡Hacer de uno otro ser! De un torbellino, una pequeña carne de quietud... Marta se inclinó, apretó las dos manos abandonadas sobre la sábana: quería saber solamente un nombre. Brenda tuvo un gesto de impaciente incomodidad: "Pero ¿qué importancia, qué importancia podía dársele a eso?" Lo importante era otra cosa: esta frustración, este fracaso, esta traición hecha a su carne, esta mutilación que ella misma llevaba a mansalva, debido a un gesto de su voluntad consciente, contra la ciega y laboriosa tarea creadora de su entraña. Esto era lo importante, estar tan acosada de falsas coerciones y no serle posible librarse de ellas siquiera por acto alguno que las superara. Eso era lo importante. Desde la hora de la operación —la siesta— su espíritu estaba dolorosamente trabado con aquellas palabras que no necesitaban mover sus labios para estar en ellos: dar a luz. Dar algo de sí a la luz; dar noche al día; librar una carne oscura a su amanecer, luego a su día. Pero no: lo que había dado era un asqueroso trozo de carne muerta con algunos coágulos; — la mujer se lo mostró, en una palangana sanguinolenta: el trozo de carne prendido con unas pinzas; y ella, que había tenido una presencia de ánimo casi desafiante mientras la mujer cortaba adentro de su vientre a discreción, estuvo a punto de desvanecerse, de gritar, sobrecogida de pavor, ante esa piltrafa con un olor acre...

—Es algo que me incumbe a mí —dijo Brenda—; ya nada tiene que hacer un hombre en esto. Ya no tiene ninguna importancia. Quiero ahora estar tranquila respecto a casa.

—Bueno —dijo Marta—. Está bien.

La mirada de la hermana menor se adhería a ella diciéndole sin turbación: esto sucederá una vez más y otra vez y otra; inútil querer escapar a nuestra ley; si nos viniera de afuera... ¡pero la llevamos en nosotros mismos! ¿Qué hacer, cuando la cara de nuestra alma es desgraciada? Ya chocará la alegría con el infortunio, el infortunio con la alegría, hasta quebrarse... ¿Que si podría estar al día siguiente en su casa? Sí, sin duda; la mujer le había asegurado que podría irse al mediodía, siempre que, como era de prever, no se presentara ningún accidente. Y no pasaría la noche sin distracción; tenía algunas cosas en que pensar... Marta, oyéndola apenas, recordaba las diferentes épocas en que, sin poder aportar un remedio, había visto a Brenda tomar la boca de peligrosos caminos. ¡Ah, cuánta es nuestra ineficacia para influir sobre el curso de otras vidas! ¿Qué son nuestras peroraciones al lado de un instinto que aparece, tienta, se abre paso? ¿De qué sirve nuestra razón insinuada en un oído si ese oído está vuelto al rumor de una presencia que desde otra parte le habla? Siendo mayor, Marta no recordaba otros momentos claros en su otra hermana sino los de la infancia, cuando, antes que en el actual palacio, vivían en la pequeña casa de Florida, con su gran galería circular de vidrio vuelta a la terraza verde y al río, en la loma. Las risas, el exterior, en verano; las lecturas, el salón, en invierno. Jorge Acevedo venía a jugar con ellas y se quedaba hasta el anochecer en la cancha de tenis, oyendo abajo el estrépito del tren, arriba el canto de las cigarras, de los grillos, luego el croar de las ranas nocturnas. Cada planta del jardín tenía para ellas un lenguaje, cada hora un humor, cada estrella una leyenda; Jorge Acevedo se reía de esas historias. En las sobremesas sorprendía, entre la señora de Rague y su padre, conversaciones misteriosas, de las que el negociante ya maduro salía en silencio y preocupado. A veces, él acariciaba una de las dos cabezas, en el jardín, murmurando: "¡Tu madre quiere que yo le compre la Argentina!" — y cuando estaba cerca, la señora de Rague replicaba, recriminándolo: "Hombre sin ambición; hombre vencido". Junto con el nombre de los árboles aprendieron ellas el nombre de las acciones de las Palmas Produce Co., y contaban los días, esperando los domingos, en almanaques de propaganda que regalaba esa empresa. A los dieciséis, a los diecisiete años, Marta vió ya hecha a esa otra mujer, vió crecer esa reserva, ese secreto, esa serie de incomunicables preocupaciones que llenaban la atmósfera del cuarto vecino al suyo. Ya no la llamaría sino después de la crisis; y ella sentía, con amargura, que sólo para utilizarla. Entrevió, en esa vida, hombres, sombras; en un no lejano diciembre fué llamada por ella, como ahora, para algo de la misma índole; aquella especie de pudor sentimental no estallaba, no se rompía, sino en espectáculos brutales.

¡Dios, ármanos de valor! Tal había sido al principio su grito, el grito de Marta, a través de años y años,

Después, ese valor, lo tuvo. Ahora que lo tenía, esta solitaria, esta mujer de belleza digna, había gritado: "¡Dios, qué hacer con este valor, qué hacer con este valor!"

(¡Ah, criatura, criatura humana: no se sabe qué es en ti más agobiante, si un gran valor o un miedo incurable! ¡Ah criatura; ya te lo han dicho: sólo una cosa posees, conservas sin variación, y es la muerte! Lo demás —¡qué inconstancia, aun en lo que para ti te has elegido!)

Marta sonrió, besó a Brenda, volvió a apretarle las manos con una ternura sin reprobación. ¿A qué agredir a aquel que ya soporta la visita de la amargura y para quien el mundo no guarda ya, de tantos, más que un color? ¿Necesitaba algo, quería que se quedara? Evidentemente, era mejor que no notaran su desaparición de la fiesta; por otra parte, si el peligro de infección era remoto no tenía por qué estar allí. Brenda la miró, le dijo: "Además, es necesario que libre ahora por segunda vez; que arroje mi repugnancia interior: que vuelva del asombro de que tantas cosas puedan pasar sin destruirnos".

En el primer piso, el reloj Tchang acababa de dar las once.

Ráices fumaba su habano de Monterrey —se deshacía despacio de aquel humo caro y oloroso— y parecía dispuesto a sostener su posición en el asunto, que acababa de explicar por cuarta o quinta vez. Había dejado caer hacia atrás la nuca en el sofá de la biblioteca y de tiempo en tiempo se dejaba seguir, meciendo acompasadamente la cabeza y silbando despacio algunas de las frases melódicas con que la orquesta inundaba los tres salones intercomunicados. Estaba seguro de que al fin su interlocutor tendría que convenir en el punto.

Pero Rague no era un interlocutor fácil, era un viejo interlocutor. Y cuando se disponía a sostener algo le costaba abandonar esa disposición; era obstinado como un jaguar. Estaba en la misma postura de Ráices, en un sofá transversalmente colocado. Su cabeza tocaba casi, en la biblioteca, el lomo encuadernado en pergamino blanco de una "Jerusalén libertada". Al lado de él, en la mesilla, quedaban restos de licor y colillas de cigarrillos. El cuarto estaba tapizado de oscuro y los sillones eran también oscuros. —"Mire usted —dijo—, si se resuelve a ejercitar un poco su facultad de razonador convendrá conmigo en que adquiriendo en su totalidad la serie A de los títulos de la empresa Max Issalor, parte de la serie Z de los títulos de Bahama-Santa Fe y contando con su transferencia inmediata, podrá especular en una plaza sin enemigos y en condiciones inmejorables. (Adelantó el busto, dejó avanzar el abdomen y abrió los brazos en ademán de perplejidad.) En cambio, si la espera que usted propone es acordada por nosotros, no perderemos tanto a causa de ella como usted; porque no cabe duda que las operaciones de la plaza, cuyas alternativas según los gráficos de agosto, septiembre y octubre acusan ascensos y descensos menos constantes, perderán su faz favorable y hasta podrán ser categóricamente perjudiciales. Usted perderá, en consecuencia, un mínimo que podrá oscilar alrededor del 30 %; nosotros — ¡nada! Porque no es lo mismo vender hoy que dentro de quince días, pero sí vender ahora que dentro de un mes. Y no creo que me vaya a decir usted que espera una sorpresa en las oscilaciones de la plaza porque entonces le replicaré que nunca hubo mejores argumentos para esperar, no variaciones, sino el afianzamiento de las constantes alzas y bajas producidas en los últimos tres meses. Esto es inobjetable. Escuche, yo me coloco fuera de mis intereses para decir esto: convengamos sin más en que la operación se realice mañana. Lo contrario le pesaría, y no poco. Verdaderamente, me pregunto, ¿por qué toma usted este asunto con semejante cautela, desconfiando ante sus posibilidades, como si obtener un éxito obvio fuera una obra de romanos? Mire usted, es tan fácil como dar a luz..."

Ráices sonrió.

DECIDIDAMENTE, no se llamaría ella Eugenia Rague si hubiera podido seguir hablando cinco minutos más con aquella joven sobre la que pesaba quién sabe qué caudalosa tradición de aburrimiento. Dora Gervers era encantadora en cuanto al físico; ¡pero tan irremediablemente tonta! No tenía más idea que aquellos hermosos dientes, ni otra actividad espiritual más que aquella sonrisa inmóvil e inmodificable en la que no había asomo de expresión fuera de un atisbo de sensualidad, por otra parte muy mediocre. Y se dejaba estar ahí, con las dos manos cruzadas sobre la falda y la sonrisa vagándole por los labios, mientras la dueña de casa hacía todo el gasto de la conversación y agotaba tema tras tema sin esperanza alguna de arrancar de esa imperturbable estatua de veintitantos años una sola reacción sensible. Como

único signo dejaba escapar a lo más, de tiempo en tiempo, algún lujoso y sorprendido: "¡Ciertamente!", algún
"¡Qué verdad es!", acompañados de una gran apertura de ojos y una pequeña apertura mental; ¡pero en
las ondas de su peinado de moda las luces del salón
tenían reflejos tan extraordinariamente atrayentes! "Lo
sabe demasiado", pensaba la señora de Rague, no sin
irritación. "¡Dios, estas muchachas son capaces de querer competir hasta con una cabeza de Raeburn!" (El
pobre sir Henry no las elegía en otra parte, pero, al menos, qué calidad de tonos, y además, ciencia.) La señora de Rague no aguantó ya; apenas necesitó unos segundos para excusarse, levantarse y echar a andar por
el salón, los impertinentes en alto, como si se tratara de
pasar revista a una manada. En su modo de andar había
siempre algo muy calculado, el designio de sostener cierta
inquebrantable majestuosidad de porte.

Subió los dos primeros peldaños de la gran escalera
y permaneció allí, viendo con ostensible deleite el
aspecto del golf feérico, el brillo y gozo de la gente
joven, la música aturdidora, las exclamaciones, el par-
loteo, el ampuloso y elegante lucimiento de todos esos
protagonistas de comedia de corte, el magnífico espectáculo de luz, baile y exquisita diversión. Iban y venían
los sirvientes —ella se había resistido obcecadamente a
decir "criados"— de frac y chaleco negro llevando dos
grandes bandejas de plata (firmadas) por entre los señores inmóviles de frac y chaleco blanco. Muchos acep-
taban los deliciosos helados, para los que un especialista
había ensayado durante cuatro días las más insospe-
chables mezclas a base de ananás y frutilla; preferían
otros perdurar en el camino de los licores, y éstos eran

los de semblante más efusivo, los de ánimo más rui-
doso, más expansivo, en la gran rueda que rodeaba a las
parejas danzantes; se inclinaban otros invitados, los menos, los perseguidos por una propensión fatal, a recogerse
en sofás un poco al margen, acosando al repentino
interlocutor con el diluvio confidencial y autobiográfico;
suspiraban todos íntimamente la facilidad de vivir en un
mundo donde los deleites les eran brindados en forma
tan opulenta y derrochada y donde los ojos bailaban
sin pausa desde el soberbio lujo humano hasta la sorpresa —posible allí cada dos metros— de encontrarse
con la miniatura de un primitivo, el primor pictórico de
algún contemporáneo o la forma original y novísima de
algún inesperado objeto de salón.

La señora de Rague vió, a pocos pasos de donde ella
estaba, abstraído, sentado en una de las banquetas de
nogal labrado, a Lintas, la viril cabeza echada hacia
atrás sobre el fondo de lisa seda negra de un viejo man-
tón mogólico. Ah, ¡su presa! Ésa era su presa de la
noche, de él iba a salir la palabra que ella quería que
se dijera —palabra taxativa, precisa, categórica— sobre
aquellas telas cuya existencia en la casa mucha gente
ignoraba y cuyo verdadero valor nadie sabía, ni siquiera
el hombre que las había vendido a un intermediario en
una modesta galería de Amberes. De esa operación esperaba ella un éxito, un rendimiento, fuera de medida;
ningún peritaje era necesario (sino —meramente— poner en ejercicio el gusto, la delicadeza sensorial de los
aficionados) para advertir la calidad de pintura de esos
tres cuadros apenas más grandes que un libro de formato
común; — lo que ella compró en pocos miles podía ven-
derlo en muchos, y con gloria (no en vano se descu-

bre, gracias a un instinto seguro, tras el disfraz bastante mísero de un barniz mugriento y costroso, la milagrosa revelación de un auténtico Tiziano). Pero, este Lintas, este hombre de voz lenta y segura, de gestos naturalmente elegantes —cosas tan poco frecuentes en la burguesía aplebeyada de la que debía provenir— a quien había sido presentada en forma tan reciente y casual, ¿tendría sabiduría suficiente como para dar un veredicto discreto en asunto tan arduo y delicado? Estaba inclinada a contestarse a sí misma: sí. Más de una vez se había jactado para su fuero de no equivocarse con respecto a los hombres; una semana antes, al encontrar a Lintas en la exposición, pensó que ante ese criterio fuertemente nutrido en arte como la boca del niño romano en la loba, ella no podía tener réplica alguna.

Bajó los escalones y fué hacia él, dignamente. Lintas estaba observando, con ojos atentos y proximidad prolija, un pie de bailarina tallado en diorita negra, puesto sobre una mesa natural; era una pieza extrañamente sólida y graciosa, no sin cierta dureza refractaria en el conjunto de sus líneas. Pasar de esa dureza a otra dureza, de aquel pie pétreo a esa expresión permanente oculta detrás de la sonrisa de Eugenia Rague, era un tránsito que podía hacerse sin asombro. Con ese sentimiento estrechó Lintas —¡cuánta ceremonia y protocolo!— la mano huesuda y pecosa sobre la que caía una pulsera flexible de esmeraldas.

—Celebro mucho que haya venido —dijo la señora de Rague— pues aparte del gusto personal que me causa tengo otro placer, interesado, y es el que me dé usted su opinión sobre tres telas, tres pequeñas piezas, lo último que he añadido a mi colección.

Sin interrumpirse, mediante un movimiento del brazo recto hacia atrás, detuvo a una pareja, a una señora que pasaba hablando con Jílgoles.

—Conozcan al señor Lintas —dijo.

Con una eficacia natural de boyero llamando a sus búfalos, la señora de Rague hizo las presentaciones del caso y logró pronto tener reunido en torno a ellos a un grupo bastante grande con todo el aire de haber acudido por espontánea curiosidad. En la rueda de hombres y mujeres flotaba, en efecto, cierta expectativa vacuna. Con la gran nariz en alto, la boca entreabierta, los ojos pesados a fuerza de no comprender, escuchaba también allí el senador oficialista Velarde, hombre bastante hábil en el parlamento y bastante estólido cuando lo sacaban de él. Y no faltaba la señorita Cisneros, hija de un buen comprador de cuadros.

La señora de Rague disfrutaba. Uno de sus mayores placeres era poder hacer de su virtuosismo de diletante el centro de una asamblea atenta, y en aquel ángulo del gran salón su perorar se recogía en un aire más íntimo, más prestigioso... Lintas pensaba: "¿Qué cara estoy socialmente obligado a poner: de aprobación, de confirmación, de sorpresa?" Asentía, por el momento.

—Estaba yo sentada una tarde en la terraza de un café de la Cannebiere, en Cannes, cuando se me acercó un señor muy bien vestido, de aspecto noble y gestos ducales. "Señora —me dijo—, querría disponer por algunos momentos de su preciosa atención." Antes de que yo hubiera consentido estaba ya sentado frente a mí. No menos pronto supe que se trataba de algo así como un albacea, siendo no ya bienes materiales, sino el destino de una teoría lo que había sido depositado en sus manos por cierto profesor de lenguas muerto algunos años antes. La teoría, que me expuso con demasiados detalles, consistía en sostener que la mayor parte de los males en que se debate la sociedad proviene de una impropiedad de la especie humana en lo que se refiere al uso de las palabras. "Hablando en términos groseros —sostenía el señor de los gestos ducales, deseoso de resumir sus puntos de vista— cuando queremos significar calabaza expresamos sandía, cuando queremos significar sandía expresamos calabaza —*e così va il mondo.*" Desde luego, yo guardé compostura discreta ante esa teoría que desvirtuaba en tal forma el más simple de los males— pues si hay injusticia hoy en el mundo no se debe a otra cosa, señores, que al malsano sentimiento de amarga envidia que despiertan en los pobres las fortunas de los ricos, y sólo suprimiendo la raíz moral de ese defecto las cosas andarían mejor. Guardé una compostura discreta; pero no dejo, con todo, de pensar en el señor de gestos ducales en los momentos en que veo debilitado en mí el poder de aplicarme sanciones críticas. Quién sabe si no fué esa conversación casual lo que me hizo ver luego hasta qué punto prefiero a la grasa de las palabras el esqueleto de lo verdadero. La preocupación de mi vida es la verdad. La verdad, ¿saben ustedes? Tal vez yo no haya tenido otra vehemencia más que la de querer adecuar mi vida a la verdad. La verdad contra todo. Tú lo sabes bien, ¿cierto, Berta Steligmann? Has viajado conmigo por dos continentes y lo sabes de sobra. Todo lo que miro, todo lo que oigo, todo lo que huelo, todo lo que toco, quiero que sea indiscutiblemente auténtico, que no permita la sospecha de una duda ... Y esto, señor Lintas, no está dicho en este momento en forma caprichosa. Tiene que ver con usted. Es un excelente artista, ¿quiere agregar a eso el ser un ánimo bondadoso?

El artista esperaba, asentía. Un círculo de ojos se apoderaron de él, no sin animal desconfianza. ¿Quién erá?

—... Necesito de su criterio que no se engaña, de su criterio, por decir así, estricto ... como el ojo del buitre. He dicho bien, como el ojo del buitre. Tengo tres pequeñas cosas arriba — no he querido bajarlas hasta estar bautizadas y deseo que me diga usted si son lo que parecen ser. ¿Subimos?

Él la siguió y todo el grupo los siguió. La señora de Rague había dicho aquel "subimos" en forma lo suficientemente alta como para que se oyera en distintos sitios del salón. De modo que, por la ancha escalera labrada, echó a subir un tropel, la más ruidosa e impertinente de las caravanas, gente desenfrenada, riente y curiosa que hasta ignoraba el porqué de su curiosidad. Las pulseras de las señoras sonaban metálicamente al chocar sobre las manos que apenas rozaban la gruesa baranda barroca; los zapatos de los señores golpeaban las varillas en que se ajusta el tapiz a los escalones. Y a la cabeza de ese grupo variado, la señora de Rague, seria, silenciosa, subía.

Llegaron a la gran galería cubierta del primer piso, en la que había una iluminación sobria, casi una penumbra. Sobre tres grandes caballetes, distanciados entre sí pero dispuestos en una sola línea, estaban las pequeñas recientes adquisiciones de la señora de Rague. Ella pasó frente al primero señalándolo sin decir nada con el impertinente, y se paró, decidida, ante el del medio. Lintas se adelantó... "Imposible ver bien con esta luz", dijo. La propia señora de Rague se abrió paso con un gesto brusco en el apretado grupo y fué a dar vuelta la llave en el muro. Una luz blanca inundó la galería.

La tela era un pequeño detalle de "Perseo y Andrómeda", de Ticiano. La cabeza de Andrómeda y parte del brazo encadenado. Imposible no evocar en el acto el cuadro entero, el cielo grumoso y de tempestad marina del original. Lintas lo había visto, hacía años, en Hartford House.

La cabeza de Andrómeda, un poco carnosa pero dominada por la fuerza —negro y blanco— de los grandes ojos, se volvía, en actitud de expectación, hacia la izquierda.

Después de observar atentamente por unos instantes el pequeño cuadro, Lintas, seguido por todo el grupo con excepción de las pocas personas que ya habían sido atraídas hacia ellos por su independiente curiosidad, caminó primero hacia el de la izquierda, luego hacia el de la derecha. Se inclinó ante los tres. Sólo los miró un instante, las cejas altas, las pupilas fijas.

—¿Entonces...? —interrogó la señora de Rague con una expresión de curiosidad astuta.

Lintas la miró sin contestar; hundió las manos en los bolsillos del pantalón negro y volvió nuevamente los ojos hacia las telas, como si quisiera ajustar a las tres en un solo juicio.

Tenía rabia y fastidio.

—¿Qué le han dicho a usted de estos cuadros?

—Bueno —dijo la señora de Rague como quien tiene

que explicar lo evidente—, el primero es un particular preparatorio del "Perseo y Andrómeda". Los otros dos son primitivos desconocidos; apócrifos, pero siglo XV o comienzos del XVI. De más está decirlo: adquiridos con su correspondiente certificado.

Hubo una pausa.

—Me temo que la hayan defraudado —dijo Lintas—. Mucho me temo. — Y volvió a quedarse sin decir nada, con su sinceridad pensativa, frío, la vista apenas interesada fija en los ojos de la señora de Rague, en los que hubo un brillo de desconcierto, un relámpago de contrariedad ruda, y luego la calma de antes, cierta mundana ironía.

—¿Qué le lleva a creer eso, señor? ¿Qué le lleva a creer semejante cosa?

Sonreía.

Lintas se acercó al cuadro del centro. Señaló parcialmente con el índice el contorno de la figura.

—Basta fijarse un poco para advertir las huellas de una torpe deformación. Sucede con estas telas lo que con ciertos objetos que asumen vistos a la distancia una forma diferente de la que en realidad tienen. Vistos desde lejos y con cierta grosería óptica —perdón por llamarla así— estos cuadros parecen masas plásticas realmente perfectas; pero esa impresión no resiste a la cercanía. Observe esta línea, esta representación de las arrugas del cuello en torsión: qué inseguridad, qué dureza.

La señora de Rague no se movió mientras casi todos los invitados que habían subido a la galería se inclinaron, extremadamente curiosos, para mirar el contorno descrito. Y se apresuraron a manifestar, mediante cortos gestos y sordas exclamaciones, la verdadera sorpresa que se apoderaba de ellos ante semejante comprobación. Nada de lo cual pudo conmover a la dueña de casa, que subrayó con una sonrisa irónica, muy fina y elegante:

—Mi querido señor, ¡vaya un juicio osado! No quiero yo invocar los nombres de Mayer, Stavinowsky, Linmplatz y Barolca, pero la categoría de los peritos cuyo juicio me fué seriamente transmitido me llevaría a preguntarle si no teme usted cometer una equivocación.

—No —dijo Lintas—. En modo alguno. Y en cuanto a los juicios que los "marchands" de cuadros proporcionan, forman naturalmente parte de su negocio.

—No cuando la operación se hace con entendidos... —dijo la señora de Rague. ("¡Qué bruto!", pensaba para sí.)

—Deploro entonces estar en desacuerdo con un entendido. No dudo de que usted lo sea muy inteligente, pero me ha pedido, ante todo, franqueza, y esto es todo cuanto yo puedo decir. A fuer de absurdo o de cínico.

La señora de Rague se irguió, imprimiendo a los impertinentes un giro circular en el aire, con lo que quería significar que estaba terminada la cuestión.

—No tiene importancia —dijo—. Bajemos, ¿quieren ustedes?

En ese instante subía la escalera, con gran prisa y sin alientos, el embajador Portinori. Quién sabe qué senil idilio lo había detenido en el piso bajo. Tuvo que volver sobre sus pasos y bajar resignadamente con los demás, mientras su cabeza se agitaba sobre el cuello apoplético y sus labios rozaban el cabello florentino, rubio claro, de la señorita Goves; musitó él una vaga protesta: "Cara mía, arrivo sempre tarde... Beata lei..." La señorita Goves, que no era tonta, echaba la cabeza hacia atrás y reía, sin duda con el gozo interior de algún satisfactorio recuerdo y sin fijarse siquiera en lo que Portinori quería decir. ¡Precediendo a todos, que descendían bañados por los altibajos melifluos de un vals centenario, la señora de Rague llevaba en los labios una sonrisa de bordes irónicos; los ojos, brillantes, duros, inmóviles, con ese gesto a un tiempo delicioso y delictuoso de quien desde lo alto de un oculto Himalaya arrojara al vacío pecado tras pecado.

Hombres y mujeres deseaban disgregarse en parejas y fundirse en la gran rueda danzante para comentar el pequeño episodio. Pero la señora de Rague no estaba dispuesta a ceder, en el asunto, la última palabra. La mano de lechosa blancura puesta sobre la bola de madera en que se remataba la baranda, los ojos muy entornados y soñolientos en su afán de no mostrar lo que en realidad habrían dicho, su furia; los labios lentos en su modulación meliflua:

—Abrigo la esperanza, señor Lintas —dijo—, de que mi pequeño Ticiano pueda reivindicarse de su juicio dentro de pocas semanas. ¡Sería tan inesperado y doloroso que así no fuera! Las circunstancias me han puesto en la necesidad de creer en esas telas con las que usted se ha portado tan cruelmente.

Ahora abría los ojos y dejaba escapar aquel mirar irónico...

—Señora, si la fe mueve montañas —dijo Lintas—, no sé por qué no ha de poder transformar una mera imitación en un verdadero Ticiano...

Ella recobró su aire áspero.

—Pierda cuidado —dijo.

Todos sonreían en el grupo y tenían el aire de estar

muy divertidos con aquel episodio. Por los balcones abiertos no entraba ni aire, ni calor, ni ruido; el salón parecía un enorme golfo suntuario de ceras negras y brillos y caras orgullosas; la pesadez de la noche era la de esos sueños de reptil que parecen haberse sumido en una eternidad plúmbea; todas las flores de los salones tenían el aspecto de la muerte; sólo las de olor más violento —las magnolias, los jazmines—, como maceradas, soltaban pesadamente su aroma espeso, que iba a mezclarse con el de las cajas de vieja madera, las tapicerías centenarias y las espaldas desnudas de las mujeres en su ir y venir del hall al jardín nocturno.

"Sí, señorita Marta", dijo el portero y ella entró. Al pasar, se arregló la cara ante un espejo en el pasadizo previo al hall. Atravesó el salón y fué directamente al jardín abierto, pero la detuvieron antes de llegar, una y otra vez, con solicitaciones, saludos, risas y preguntas. "¡Ágil y decidida como Citeres!", le sopló una especie de intelectual. Y ella tuvo que sonreír también. Al llegar al jardín, Guezalez, que salía, la invitó y ella tuvo que poner su brazo en ese hombro y moverse rápidamente y girar, ya de nuevo en las aguas del pequeño océano, desde cuyos bordes se desprendía, inesperada y sensual, la lluvia melódica de *The Continental*. Satisfecha de que su ausencia no hubiera sido advertida, alzó su cabeza, al costado de aquella cabeza de hombre cuyo aliento sentía tan cerca mezclado con el olor detestablemente pretensioso del agua perfumada. Como si, ya serenos, sus ojos no necesitaran más que tener la seguridad de que estaba todavía allí alguien cuya presencia les interesaba, buscaron con cierta temerosa precipitación entre todas las figuras que se confundían en el baile y aun entre las espaldas que se veían, más allá, junto a la gran mampara. Pero había demasiada gente en el área nocturna y penumbrosa del jardín, y además rostros que el reflejo indirecto de los faroles iluminaba deficientemente.

Tuvo la impresión, le pareció intuirlo en forma demasiado violenta y penosa para que pudiera desconfiar de su sentimiento, que él se había ido y que no quedaba ya de su presencia en la atmósfera sino la poderosa impronta de un semblante extraordinario, ese albor, esa claridad que le había parecido desprenderse de aquel rostro en el que había algo de intangible a fuerza de haberse hecho rasgo en él, no solamente la inteligencia, mas también el trazo de una imponderable penuria, de un descontento moral que al fin se ha hecho virtud y muestra el agitado fondo secreto de una vida. Giraba bailando en los brazos de Guezalez y ella debió acentuar, nerviosa, su presión en el hombro de ese compañero anodino y circunstancial porque sus ojos no encontraban lo que querían encontrar. Sintió una desazón, un temor, un súbito desaliento, como si fuerzas que hubiera tenido hasta ese instante en apretada tensión acabaran de aflojarse y abandonarla. Sus ojos ya no buscaron, siguieron viendo el aire oscuro, los rostros, las figuras, con esa ciega fijeza que el cierzo pone en los ojos de los viajeros de altura. Oyó lo forzado y convencional de una pregunta en ese instante, y contestó "sí", de un modo rápido y maquinal, sin poder evitar que el hombre que la apretaba sintiera lo blanco, lo inexorablemente desierto de la respuesta.

El sentimiento de Marta fué sólo un relámpago —¡pero qué intenso!—. Apretadas y contradictorias, eran las mismas eternas razones de desesperanza las que se agolpaban en su ánimo como un repentino azote. En espíritu, volvió a recoger la imagen de esa horrible navegación sin puertos por la que su vida andaba consumiéndose. Y para los que no ven otros puertos más que los puertos humanos, ¡qué esperar sin plazo y sin descanso! Sintió que todas sus fibras se encogían con un viejo dolor. Sonámbula en una cruel perspectiva de rostros errantes, tocada en los codos por esa multitud sin significación ni intimidad, ni voz, helada por la improductividad de sus manos, desprovista su alma de fruto o de posibilidad de fruto, inútil y necesariamente viviente como todo aquel que navega sin dejar su carga en un puerto ni hallar faro sino ver sobre el océano noche tras día la ondulación infinita — le pareció de pronto haber perdido, con aquella presencia apenas entrevista, la intuición de una ruta repentina, de un hallazgo, algo como el claror de un alba en la honestidad de un semblante inesperado y en un cuerpo de hombre que camina.

¡Esperanza concluída!

Guezalez se apartó de ella, le dió las gracias. Marta miró la corbata de frac, la barbilla del hombre ligeramente cubierta por una sombra azulada, los ojos y la nariz anodinos. Ella se quedó de pie, con su desnuda y esbelta espalda vuelta hacia uno de los altos setos que soltaban en la noche un olor a hoja húmeda y tronco reciente. Y sólo apenas perceptiblemente más amarga era la sonrisa de urbanidad con que contestaba a esas palabras sueltas en que ese abogado ya maduro se compla-

cía... "calor..." "viejas ciudades..." "demasiado encantador para..."

Y al ir a volver al salón donde atacaban de nuevo la
a la vez gimiente y delirante maxixa oyó, más allá del
final de la hilera de setos, la voz tranquila, fría, casi seca,
de Lintas. Sin que hubiera podido advertirse en sus
facciones ardientes y serenas, exaltadas a una increíble
belleza por ese contraste casi increíble, un signo, un
rasgo de sobresalto, caminó unos pasos más hacia el salón, despacio, la espalda algo encorvada al ir a subir
los escalones y, desde la escalinata, sin apuro, volvió
sobre sus pasos y bordeó la hilera de setos, uno de cuyos
lados daba a la luz del baile y el otro a los bancos insta-
lados casi a oscuras bajo la hiedra.

Algo extremadamente doliente y frío, fatigado y fresco venía ahora a la superficie de este semblante que,
como en el cuerpo de una actriz primitiva, viajaba sobre
el busto inmóvil, sobre las piernas de paso tranquilo y
largo.

Oyó la voz un poco ronca, siempre reticente, de su
madre. Había un gran grupo de personas conversando
detrás de los arbustos cuidadosamente recortados.

—...su convencimiento de la inautenticidad de esas
telas. Porque es un prurito, exactamente eso: el prurito de decir no a lo que es sí. ¡Y, por favor, no crea
que doy a esto un sentido condenatorio! Al contrario,
es una cosa de juventud. ¡Tal vez en ese "no" haya tanta
razón positiva! Pero la juventud es una etapa y los que
vivimos en otra etapa tenemos un juicio de los valores
tan absolutamente diferente.

No se oyó sino la pausa, el silencio de todos los que estaban detrás del seto verde.

En seguida, de nuevo, la voz de Eugenia Rague.

—¡El espíritu revoltoso! Todo lo que se podría decir de eso ... Usted, Covenores, que ha escrito tantas páginas sobre ciertos procesos del resentimiento, ¡cuánto, interesante, podría decirnos del espíritu revoltoso y sus resortes habituales! Una voluntad, una necesidad de revolución — pero para ponerse uno arriba ... eso sí: para ponerse uno en el lado superior de la rueda que ha dado la vuelta ...

Intervino —Marta reconoció aquella voz del "blasé" embotado a medias por un estado permanente de ocio exquisito— Javier Jarcelín, ex juez, bibliófilo.

—¡Ah, claro, claro! Eso es lo que he sostenido siempre. Detrás de cada proclama de revolución, búsquese el resentimiento que la mueve. ¡Exactísimo! Habría que pasarlos por las armas a todos — ¡esos sedicentes revolucionarios! Muy bien lo que ha dicho usted, Eugenia, de la rueda. Revolución o sea vuelta completa de la rueda. Pues si la rueda arde, ¿qué quiere decir eso de ponerse la humanidad con ínfulas de sedición? Absurdo, hiperbólicamente absurdo. Nunca ha andado la rueda mejor que ahora. Mi casa está guardada y la del vecino también. Ni mi vecino sabe lo que yo hago ni yo sé lo que hace mi vecino. La libertad es completa; el equilibrio, perfecto. Se habla por ahí de inquietud, de mundo nuevo, de caducidad de nuestro tiempo ... La verdad, no comprendo una palabra. Nunca ha tenido la civilización una época más parecida a un paraíso en la tierra. ¡Claro, nunca ha sido también tan necesario ganárselo! ¿Qué es lo que se pretende: paraíso para todos? ¡Ab-

surdo! Si yo no hubiera almacenado en mi memoria...
¿cómo diré...?, el zumo, el jugo, la quintaesencia de las
Pandectas, el espíritu de la Magna Carta, la sabiduría
de Savigny, el sentido de la interpretación tomista de
la ley —si yo no hubiera sabido hacer de todo eso un
complejo de ciencia, si no hubiera sabido elevar esos
principios a la ciencia, si no hubiera sabido elevar esos
principios a la categoría de la interpretación y de la
norma, claro es que entonces mi paraíso habría sufrido
una merma proporcionada a esa insuficiencia, claro es
que entonces en vez de disfrutar el acostumbrado baño
turco habría tenido que contentarme con el baño común
y vulgar o, ¡quién sabe! con el baño público —habría
tenido que contentarme, no ya con mis ediciones prín-
cipe, con mis primeras ediciones del Tasso y del Aretino,
sino con los volúmenes mostrencos que todo el mundo
lee— habría tenido que contentarme no ya con mis comidas semestrales en la Tour d'Argent sino con las comidas abominables de cualquier hotel de serie o, tal vez,
de quién sabe qué oscura pensión... Sí, sí, no basta con
proclamar la urgencia de establecer un paraíso en el
planeta; también el paraíso tiene sus jerarquías, y estas
jerarquías no son, en modo alguno, graciosas; se llega
a ellas por un sistema de méritos, por un sistema, diría
yo, de imposiciones progresivas de nuestra representación individual sobre los que nos van siendo inferiores,
sobre los que se nos van subordinando...

Levantó la voz.

—¿Qué quiere decir eso de querer cambiar las cosas?
¡Absurdo, hiperbólicamente absurdo!

Eugenia Rague reeditó su aire insinuante:

—No sé. Tal vez habría que preguntárselo al señor

Lintas, a quien suele llamarse un "innovador". Y que lleva, a qué dudarlo, muy adelante su necesidad de innovación...

Marta temió por la respuesta de Lintas. Pero nadie habló. Hubo una risa. Siguió durando la pausa. ¿Estaría el aludido sonriendo? La señora de Rague volvió a la carga:

—Insisto en que ese prurito de destrucción puede ser positivo. ¿Por qué no? También son positivos ciertos asesinatos, también fué positiva la muerte de Marat en el baño, y socialmente positiva —¿verdad?— la decapitación de Ana Bolena. Y no sé si no habría alguien a quien resultara útil mi propia decapitación, en olor de ignorancia...

—¡Dios nos libre! —estalló Jarcelín—. ¡Nos privarían de noches como ésta!

La señora continuó, sin recoger la interrupción:

—No comprendo a la gente que tiene predilección por negar las cosas sistemática y obstinadamente. Si por el hecho de admirar las tapicerías Aubusson del vizconde Lafollette tuviera yo que negar las telas peruanas del buen burgués X., me encontraría desolada. Pero hay personas que se sienten demasiado inteligentes para no ser negativas. Para las cuales ninguno de los tiempos del verbo *afirmar* existe, no existe más que destruir, negar. Yo diría que tienen la visión de través. Están fatalmente conformados así. Y a nada de auténtico se acercan sino para decir: "no". Yo creo que ésta es una actitud muy propia de nuestra época, muy propia de una era en que vale más el dibujo deformado de un muslo que un trozo perfecto de Perugino...

Se sintió pesar el silencio.

Marta se adelantó, se unió al grupo sin que la advirtieran, miró por encima de las espaldas, las nucas, de dos mujeres que escuchaban tomadas del brazo.

Él sintió detrás de sus propios ojos abiertos agolparse la ola de sangre rebelde. Una invasión de secreta furia, de protesta por tanta burda ignominia y tanta ridiculez. Y cortó casi en los labios la expresión espontáneamente cínica, espontáneamente insolente.

—Señora, me ha pedido usted una verdad —por más modesta que fuera: la mía— y ahora esa verdad la molesta y la indigna. Esto me parece más representativo de un estado de ánimo que lo que a usted le parece representativo de una época. Y, sin embargo, no querría pensar definitivamente que prefiere usted un engaño confortable a una verdad áspera. ¿Qué esperaba usted de mi juicio? Sin duda una especie de reducción cortés a la comedia. Pero es que —y perdóneme usted— ya no se puede respirar tanta comedia, tanta comedia se vuelve algo simplemente insoportable, tanta comedia acaba por hacerle renegar a uno hasta de uno mismo...

—¿Qué quiere decir con "tanta comedia"?

—Señora, qué puedo decir con tanta comedia... Sencillamente: ¡tanta comedia! Acabo de oír decir que el mundo es un paraíso porque hay quienes a fuerza de saber las Pandectas pueden comer a menudo guisos exquisitos en la Tour d'Argent. Acabo de saber —o mejor dicho: no acabo de saberlo, me cuesta saberlo, lo presiento— que usted está decidida a creer que alberga en su casa, a toda costa, unas piezas auténticas de pintura clásica. A toda costa. *Malgré n'importe qui, quoi.* Desde luego, yo tendría que haberme enrolado en el círculo y decir sí a las dos cosas y agregar mi ratificación, a fin de no interrumpir la ronda. Pero ahora soy el culpable de un conflicto, de haber creado un conflicto. Y el conflicto no tiene salida, es como esas puertas abiertas que dejan entrar una corriente de aire: todos se sienten incómodos y es necesario que alguien se mueva y vaya a cerrar la puerta. Sin embargo, yo no voy a ser nunca el que vaya a cerrar la puerta; es más fácil que me sienta inclinado a abrirla... Si se tuviera el valor de abrir un poco más las puertas correría algo más de aire en el mundo. Tanto peor para los que frecuentan la Tour d'Argent porque las corrientes de aire los podrían matar — o tanto mejor, porque no todo el mundo puede morir en pleno goce de lo que más ha ambicionado...

—¡Creo que eso es un tanto impertinente! —dijo Jarcelín. Tenía algo nativamente feroz en los ojos, la boca avinagrada y una camelia blanca en el ojal.

—Nada es impertinente. Después de expuestos sus puntos de vista, querido señor, ¿qué nos puede parecer impertinente? ¿Le parece a usted impertinente lo que digo? No se alarme. Son cosas muy pertinentes. La prueba de su pertinencia es que a usted le parezcan impertinentes. Usted teme las corrientes de aire. ¿No es cierto que teme las corrientes de aire? No sé si ese gesto quiere decir no o sí. Pero si de algo hay que desconfiar —¡se lo aseguro a usted!— es precisamente de los gestos. Si el mundo no viviera de gestos, no lo duden, las cosas andarían un poco mejor. Pero ya ni Shakespeare tiene razón; la cosa no es ya "words, words, words", palabras, palabras, sino gestos, gestos. Al contrario, hoy la gente se cuida de hablar para no traicionar sus gestos; y los gestos no son todos de afuera, hay gestos in-

teriores —¡y tan terribles!—. En fin, usted es una
excepción, señor, le gusta sustanciosamente comer sus
guisos en la Tour d'Argent; las gentes han dado un paso
más adelante, están a la vanguardia suya: la presente
burguesía se contenta con el gesto, sólo con el gesto de
estar comiendo un magnífico guiso. El guiso no importa, lo que importa es el gesto de estarlo comiendo. El
grito de hoy es: ¡mi reino por tener el gesto de... tal o
cual cosa! Y hasta los imperios se ganan hoy por medio
de gestos.

Se insinuó la voz de Eugenia Rague:

—Todo eso me parece muy bien, ¡pero tan poco oportuno, querido señor!

La rama baja de un laurel casi le tocaba la lujosa
cabeza.

—Es posible, es posible que sea poco oportuno —dijo
Lintas (sus facciones tenían una gran naturalidad)—.
Todo esto no se lo digo porque me parezca oportuno.
Pero rara vez la oportunidad sirve de nada como no sea
para acabar por matar las cosas; la oportunidad repeti-
da es la rutina y este mundo exterior de hoy está hecho
de una confabulación de interesadas rutinas. No, no es
mi deseo ser oportuno; mi deseo es nada más que ser
honesto, honesto con los demás, que supone serlo conmigo mismo. Siento venir a hablarles de su comedia,
de mi comedia también —puesto que yo también la re-
presento hasta la saciedad— pero si no se lo dijera me
iría a acostar molesto y tal vez padecería un desagradable insomnio. Así, para evitarlo, yo intervengo en los
gestos de ustedes con mi gesto, que es impertinente y
torpe y tal vez salvaje pero que me permitirá estar al

día con lo que llevo adentro y no haber sumado una pequeña mentira a otras pequeñas mentiras.

Todos, el grupo abierto en círculo, esos hombres y esas mujeres en elegante ropa de noche, estaban silenciosamente escandalizados.

—Nos acostaremos todos en paz si pensamos esto: ustedes, que mi grosería tiene la ruda inutilidad de todos los gestos groseros; yo, que ustedes han visto conmigo el desagradable espectáculo de tantos gestos y tantas palabras perdidas en una deliciosa noche de noviembre, en una noche que valía la pena de otra cosa. Por otra parte, yo soy tan perfectamente iluso que me iré con la sensación de que al alba, en sus camas, en el encierro de sus cuartos, podrán ustedes luego sentir la desagradable impresión de la corriente de aire y cuando se levanten a cerrar la puerta, verán con desolación que no la pueden cerrar porque la corriente de aire, esa especie de viento mortal, ustedes lo llevan adentro, está en ustedes mismos, camina con ustedes mismos. Esa corriente de aire que para otros sería saludable ustedes la sienten como algo mortal...

"Pero esa corriente de aire —agregó— tiene que venir. Hace más de cuatrocientos años que el mundo vive encerrado en una atmósfera caldeada e irrespirable. Hemos perfeccionado tanto los hombres la manera de mentirnos que ahora estamos casi ahogados los unos frente a los otros, y del recinto en que estamos metidos con nuestras propias mentiras no sabemos cómo salir. Seguramente a ustedes no les parece esto atroz; a mí sí me parece atroz. Yo quisiera saber dónde está la puerta e ir y abrirla de par en par porque lo que es seguro es que nos estamos todos ahogando con el aliento que nos echamos a la cara. Pero yo, no sé todavía dónde está la puerta. No quiero ir a abrir otra puerta, que diera a otro cuarto caldeado. Quisiera abrir una puerta que diera al aire libre, a la frescura natural de todas las cosas..."

—¡Figura poética! —dijo con sorna y odio uno de los señores que fumaba al lado de Jarcelín, y bajó la mano de puño blanco con el cigarro, un grueso, pardo y fragante Danneman.

—¡Figura poética! —dijo Lintas. Lo miraba—. ¡Figura poética! (Dos de los hombres estallaron en una risa espasmódica.) Cada vez que al asno se le habla del caballo, el asno sostiene: "¡figura poética!".

El del cigarro Danneman dijo despacio y sin inmutarse:

—Eso me lo explicará usted más tarde.

—Eso yo no se lo podré explicar a usted nunca porque nunca podría usted entenderlo. Cada tanto tiempo el mundo se divide en dos facciones: se les ha llamado de modos tan diferentes que han parecido bifurcaciones sociales profundas producidas por distintos temblores y sísmicos movimientos. En realidad la división es eterna y el drama de los más no es lo que sufran o pierdan en la lucha con el otro bando sino el verificar que las divisiones a veces cortan a la humanidad por donde no deben y hay justos que aparecen combatiendo taciturnamente al lado de los pecadores y pecadores que aparecen combatiendo al lado de los justos. Porque los hombres saben poca cosa de sí y cuando se conocen, o conocen, por lo general es demasiado tarde: han estado luchando en el lado que no les correspondía. La división eterna no es más que una: es la que hay entre los hombres capaces de negarse a sí mismos y los que no son capaces de eso. Pero cuanto más se cultiva con razones y arrebatos menos se parece a su origen, esa división, menos se ve lo sencillo de su origen. Todos venimos al mundo envueltos en la misma membrana; lo primero que tienen que hacer con nosotros es lavarnos, de tal modo venimos sucios. Una vez limpios por fuera algunas criaturas tienden a herir con honda las especies vivas que encuentran a su paso y otros tienden a alimentarlas. Los unos son los puros de humanidad; los otros, los impuros de humanidad. En la vida, naturalmente, no hay más que esos dos bandos. Y lo que ayuda a mezclarlos, confundirlos y separarlos mal es la irrisoria comedia de los gestos. Por la comedia de los gestos la humanidad está trescientos o cuatrocientos años por detrás de sí misma, y de su largo sopor no nos ha dejado sino algunos momentos sobrevivientes que no eran gestos mas desesperadas pasiones: algunas explosiones admirables, algunos gritos de Rimbaud, algunos Grecos, una Novena Sinfonía, algunas misas de Juan Sebastián Bach...

La señora de Rague se llevó la mano a la cabeza, se arregló con calma la onda lacia, lo miró con el rápido vistazo de águila.

—Y también —dijo, como quien oculta la cara de la malignidad— algún discurso de circunstancias...

—Sí —dijo Lintas—, soy un hombre de ingenuidad ofensiva.

Reapareció la voz atiplada y sarcástica de Jarcelín:

—¿Ingenuidad?

—¡Y tanta! —rió el hombre del Danneman.

Rieron todos. Relucían las dentaduras blanqueadas

y los labios de un rojo insolente. Lintas estaba con la punta de la boca amarga, los ojos sombríamente sonrientes, helados, despectivos; sus manos delgadas y nerviosas sacaron temblando la cigarrera; esos dedos casi sin carne temblaban siempre. Pero encendió sin apurarse el cigarrillo y volvió a fijarse, uno a uno, en aquellos rostros de la primera fila de la rueda.

—Hay además de los otros un tercer destino: es el de los que no han salido todavía de la membrana... —dijo con hiriente reticencia.

La señora de Rague quiso tener todavía un gesto de elegante condescendencia, de sumo refinamiento. Apartó al criado que llegaba con la bandeja de plata cargada de vasos y golpeó (con una gracia que quería decir: "¿qué importa todo?, ¡adelante!") las manos blancas y largas acostumbradas a no hacer ya otra cosa más que acariciar por la mañana la cabellera rubia y seca y golpear por la noche en rápidos masajes de galope la piel fláccida.

"¡Estamos congelando nuestra fiesta! —gritó—. ¡Es imperdonable! ¡Basta de apartes!"

Todos echaron a caminar, riendo, en las diferentes direcciones del jardín. Lintas, al ir hacia la terraza, se topó con Marta.

Ella lo miró callada, extrañamente turbada de nuevo por la proximidad de ese hombre. Pero reaccionó rápidamente con aquella energía casi amarga con que había aprendido a rechazar algunas de sus propensiones más profundas. Él le dijo un áspero "buenas noches" y la sorteó como un obstáculo cualquiera. Pero lo alcanzó el "¿Se va usted ya?", la voz que llevaba adentro un raro temblor. Y se detuvo y volvió los ojos, todavía cargados de ira, hacia esa mujer que dejaba atrás. ¡Y aún le pareció justo mirarla porque tenía, sin duda, algo tan digno y tan espléndido!

Marta Rague sintió que aquel hombre estaba herido, e irremediablemente.

Y, a boca de jarro, le dijo, echando a caminar en dirección al gran hall:

—Venga usted. Yo lo llevaré.

Lintas protestó. Se iba a pie. Prefería caminar. Todas las noches caminaba mucho tiempo antes de acostarse.

—No —dijo ella—. Yo lo llevaré.

Él estaba indignado hasta la entraña contra toda aquella familia, todo aquel mundo, toda aquella inmunda confabulación de mentiras. Protestó con mayor rudeza. Pero esos otros ojos honrados lo miraron no dispuestos a ceder, con un fondo de verdad y firmeza ante el que no podían caber efugios, casi duros en su cortesía.

Hubo un movimiento de criados que se prolongó — rápida teoría de ceremoniosos gestos— hasta que estuvo abierta la portezuela del automóvil y luego cerrada de un golpe. Ante el signo interrogativo de Marta dejó él caer el nombre de una estación. Después le quedaban veinticinco minutos de tren hasta llegar a su casa, fuera de la ciudad, un barrio tan distante como Hurlingham pero en otra dirección. Ella le dijo: "¿No es una espléndida noche para andar? Yo le llevaré hasta allá y usted me dará así ocasión de volver por la carretera sin apuro, de llegar de nuevo aquí cuando ya no haya nadie".

Se preguntó él qué hacía con aquella mujer y en aquel coche. En la noche calurosa, bajo un cielo extremadamente pesado, sus ideas parecían tener filo, un filo herrumbroso pero cortante, cierto insoportable mal humor... Estaba más sordamente iracundo que perplejo. Entraron en el vértigo de luces y paredes blancas, rodando por un asfalto que parecía un lago negro cruzado por largas cuchilladas reflejas. Lintas sintió la necesidad de herir, de decir algo duro y agraviante que salpicara a todo ese sector de vida que se prolongaba todavía hasta él, del que seguía en ese momento sin poder librarse, representado todavía por esta mujer en cuya garganta cobre se marcaba, al alzar la cabeza descubierta y mirar oblicuamente la calle cuidando los peligros del tránsito, el firme tendón del cuello. "¡Qué extraño! Un carácter aparentemente tan seguro y, sin embargo, dándoles tanta importancia a los caprichos y tonterías de un mundo frívolo..." Y volvió él rápidamente la cabeza. "¿Importancia? —preguntó—. ¡Absolutamente ninguna!" Y ella insistió, con cierta monotonía: "Importancia, importancia..."

Se oía nítidamente el eco invariable y triste de los ruidos entremezclados de la ciudad, fundidos en el aire de la noche y estallantes a lo lejos como continuos cohetes metálicos. Al fin salieron de las calles señoriales, del barrio de los teatros, y entraron en una de las avenidas de extramuros.

...Enfrente, a pocos pasos, sin fijarse apenas, vió el gallo que picoteaba, el airoso gallo del vecino, del talabartero, que había visto a diario en la misma actitud concentrada del que busca en la tierra su alimento y su gloria. Sus dos manos casi infantiles estaban rígidas una sobre el pestillo, otra sobre el pan y sólo su imaginación, su imaginación habituada a la iniquidad cruel de pensar, padecer y crear, a la terrible obra de taracea en su propia entraña crudamente herida y celosa como ciertas carnes de asceta, sólo su imaginación no estaba rígida, funcionaba, presabía. Trágicamente lúcida en la templada humedad nocturna, ahora; trágicamente lúcida ahora la imaginación que había gozado y llorado en mañanas, tardes y noches viajando detrás del canto cuya nota más alta es sólo la racionalización de un sueño arbitrario; trágicamente lúcida, ahora...

A ella le parecía la cosa más extraña del mundo aquel oscuro camino arbolado, bajo la luna. Sin duda lo había cruzado alguna otra vez, precipitadamente y a otra hora. Ahora lo vió como algo nuevo: una región boscosa tenuemente plateada, casi toda selenio y sombra. Los árboles eran viejos, corpulentos y aromáticos; perdidas entre los poderosos troncos —paraísos y jacarandás gigantes— algunas casas mostraban en la noche sectores blancos de muro y partes de roja techumbre.

Casi no habían hablado en todo el trayecto sino para preguntarse y responderse cosas oportunamente mundanas. No quería ella rozar aquella susceptibilidad al descubierto, ni quería él aparecer como culpable de tomar demasiado en serio cosas que por su esencia no lo son; pero como los temas eran, por tanto, socorridos, tópicos de auxilio, largas pausas venían a pesar como lo único cierto e importante entre varias réplicas convencionales. La luna echaba de pronto su mano sobre la aparente decoración de una escena de tragedia: grandes parques y terrazas plateadas de residencia solariega; de pronto sobre pequeños lagos, pequeños viveros al margen de las alcantarillas. Instante tras instante veían la garra nudosa de un seco ramaje aparecer enhiesta ante los faros, luego arañar con un rasguido el techo del coche. Tan pronto el camino asfaltado, como un persistente olor de ciénaga; oscuridad, muerte en los árboles.

Se oyó el grito alarmado y triste de un pájaro.

Siguieron todavía por espacio de unos diez minutos sin que ni uno ni otro rompiera el silencio, al ir entrando y entrando en el vientre inmaterial de la noche. De pronto gritó otro pájaro nocturno; se calló. Rodaba más allá de la circundante y lunar calma un ruido

de agua, como el sordo y muy lejano golpeteo de pala-
das en la superficie de un estanque. Y Marta protestó,
en voz insistente y baja, con cierto encantador y algo
ronco arrastre de las palabras, contra la esterilidad de
la mayoría de las horas en la cristalizada existencia del
universo civilizado, donde el último intercambio posible entre las naturalezas que preguntan y las naturalezas
que responden —tejiendo así todo el matiz de los pa-
rentescos espirituales— parece haber sido sustituído definitivamente por una voz fatídica de énfasis constante.
Evitó él contestar. Aquel cuerpo joven, perfumado y
lujoso, aquella espléndida cabeza un poco echada hacia
atrás, de ojos que se entrecerraban apenas para mejor
ver, alta y digna como la de una conductora de hombres, quién sabe qué subterránea desconfianza le infun-
día, qué resquemor, qué fastidio mezclado de una sombra
de respeto que pugnaba él sin embargo por desconocer.
(Que pugnaba, sí, por no dejar asomar del todo a su
conciencia, aunque lo sentía allá, adentro, con cierta ver-
güenza, así como el siervo padece un soslayado acata-
miento por el señor natural.) En lo sensible y exterior
de su conciencia sólo había una especie de desnudo,
inexorable rencor.

Le quedaba todavía una rémora galante, severa y digna, que parecía venir directamente de su infancia solitaria, en la que no había cabido familiaridad alguna
con las mujeres. Por lo cual le sonrió un poco al acercarse a la casa y se apresuró a decirle, al tiempo que
ella volvía hacia él la nerviosa fisonomía bañada por el
opaco resplandor plata: "Su misión ha terminado". Y
su voz viril tenía un retintín sarcástico.

Ella vió el frente claro de la casa entre dos pequeños

pinos, el largo y estrecho ventanal que corría por todo
lo alto del único piso. Era casi la única construcción
en el comienzo de la calle y en esa acera; enfrente, una
larga calzada circular conducía al interior del pequeño
barrio; luego la calle cerraba el codo del círculo asfaltado y desaparecía entre la arboleda y la oscuridad.
Pero al detener el coche, Marta vió lejanas luces amari-
llentas en la otra acera; a menos de cien metros, el discreto fulgor de un farol elegante y un largo parterre;
varias casas de arquitectura novísima y las cortinas bajas de algunos negocios regulares, cuya verdadera dis-
criminación era difícil en las tinieblas. Parecía un pequeño barrio de veraneo, con la casa de Lintas un poco
aislada y en avance sobre el cemento del camino principal.

Ella aceptó beber una gota de algo antes de irse. De-
jaron el coche y Lintas hizo girar a oscuras la llave en
la puerta de una sola hoja. A oscuras subieron por el
zaguán caluroso; él primero, para guiarla por la escalera de baldosas. Esa especie de fundamental trastorno
que se opera al entrar nuestro ánimo en un clima desconocido, repentino, fué la sensación que tuvo Marta al
avanzar en el gran cuarto cerrado, donde en seguida
prendió Lintas las dos lámparas. Lo que la sorprendió
fué aquello: no lo afinado y justo de las cosas allí colocadas, no la reposada claridad de las lámparas, sabia
y antagónicamente dispuestas —una junto al ventanal,
sobre la cola del gran piano cuyo negro brillo contrastaba con el blanco general del cuarto, otra sobre una
mesa baja, al lado de las altas corolas—, no lo viril y
fuerte de aquel arreglo interior, en que lo único femenino eran las erectas calas saliendo de los dos vasos cua-

drados, sino otra cosa: el clima, y sólo eso. Un aire de vida, una poderosa fisonomía invisible, algo que *existía*, casi materialmente, entre las cuatro paredes bajas y distantes de la espaciosa habitación. Hay casas en las que, con sólo entrar, se ve levantar, andar, venir al encuentro de uno, una presencia, como si en su aire viviera inmaterializado un gusto, una propensión, un repertorio de preferencias y rechazos definidos; y estaba en una de ellas. El bastidor de una tela bastante grande se alojaba en un rincón con su caballete; era la única obra artística visible —salvo una pequeña virgen normanda y una fina máscara negra— en la casa del artista. Sin embargo, influída tal vez por aquel clima de reserva y casi hosquedad, ella sintió el deseo de decirle algo seco e ingrato; pero tan sólo como el látigo que usáramos para medir la salud de una piel.

—¿Pasa usted mucho tiempo en esta casa?

—Sí —dijo él—, vivo casi sin salir. Casi confinado. Trabajo de la mañana a la noche entre estas cuatro paredes...

Sobre el piano había un plato con manzanas. Las manzanas eran frescas y daban buen olor. Marta se sentó en uno de los anchos sillones blancos. Él seguía parado, mirándola.

—Hace años —dijo él— me parecía que el mundo externo no tenía interés ni sentido fuera del color de las cosas. Todo lo veía a través de los colores; no sólo las cosas, también los temperamentos. Un hombre, una mujer no eran para mí esta o aquella complexión, sino este o aquel color. En cierto modo, esto me improvisaba una suerte de felicidad, pero me dejaba la instintiva nostalgia de una dimensión importante de la existencia.

Hizo una pausa y luego siguió con su voz llena y viril:

—Casi igual, con pequeñas diferencias de matiz, a lo que debe ser su vida, la vida de usted en esa especie de decadencia lujosa y prejuicios de gran precio.

Ella lo miró, casi sin incomodidad, como si estuviera lejos de sus palabras. Y luego, con indolencia:

—Todos somos por fuera una leyenda falsa, y esta leyenda tanto puede hacerle a uno mal como protegerle.

—¡Proteger! ¿Ve? Ya habla usted de la propia protección, de la protección hacia uno mismo como de un recurso natural, en vez de hacerlo como de un vicio.

Marta se encogió de hombros.

Él aprovechó el momento para desaparecer por algunos minutos y reaparecer —no sin que ella hubiera demorado mientras tanto su atención interrogando cada cosa en el gran cuarto nocturno— con la botella de Jerez helado y los vasos.

Se oyó en la calle el grito de una mujer. Marta se sobresaltó. Ni siquiera dió vuelta la cabeza, estuvo inmóvil. La fisonomía de Lintas se aclaró, como una secreta sonrisa.

—No es nada —dijo—. Era necesario que la oyera. No todas las noches ese grito es odioso e inoportuno. A veces es oportuno.

Había sido el gemido largo y estridente de alguien que gritara corriendo, a pocos pasos, en la calle. Luego, el mismo silencio de antes, plúmbeo, macizo.

—¿Qué es eso? —insistió ella.

—Es el más áspero, el más terrible de los llamados a la realidad.

Con el vaso en la mano se sentó él sobre la parte lateral del otro sillón, abarcando toda la extensión del respaldo con su propio brazo.

—Es bueno tener la vida dividida en dos mitades —dijo—. Es como si uno fuera el dueño de dos diferentes dominios y pudiera abarcar, al mismo tiempo, la perspectiva de dos campos totalmente distintos.

Sonrió como un niño, puesto que su sonrisa no tenía nada que hacer en ese momento, y siguió hablando como si no le importara más que traer a su memoria lo que iba a contar.

—De dos campos totalmente distintos. En mi caso, los dos son sin mucho sol, bastante grises, pero uno mucho menos árido que el otro. Mucho, mucho menos árido. Figúrese que la división tiene apenas un año. Antes, todo yo era un solo y pobre territorio. Y ese primer pobre territorio está hoy ya casi del todo muerto; y el otro, vivo. El nuevo, vivo. Y el grito que usted acaba de oír tiene en ese cambio una importancia fundamental.

Como vuelto de inmediato sobre su alerta, cambió súbitamente de tono y dijo, con fuerte desprecio:

—Pero, para las gentes de su raza esta clase de relatos son como palabras blancas.

Ella sintió el latigazo de la intención. Y lo devolvió.

—No puedo pretender que no se odie a una raza desprovista de despecho y de resentimientos. Tres cuartas partes de mundo están hechas de lo contrario.

—No la mía. No la raza que yo me he hecho.

—Podría parecerlo —dijo ella.

Él hizo un gesto con el cuerpo que equivalía a decir: "me tiene sin cuidado lo que piense". Y casi en seguida:

—Escuche —le dijo—, voy a contarle una historia.

¿Sabe usted cómo vivía yo hasta hace poco acá? Bueno: como un muerto. Vivía nutriéndome artificialmente de colores, lo mismo que un pez que se nutriera de las plantas que rodean a la pecera. El resultado, al menos, sería el mismo: un engaño flagrante. Trabajaba desde muy temprano, por la mañana hasta entrada la noche y, eso sí, el trabajo era un opio eficaz. Yo había establecido una relación importante, fuera de lo cual nada existía; esa relación era la establecida entre mi arte y yo mismo. Llegué a creer firmemente que el desarrollo —por llamarlo así— privado de una vocación, agotaba los deberes de un individuo común hacia la comunidad, hacia los individuos más próximos y hacia su propio tiempo. No puede usted saber hasta qué punto me engañaba.

Siguió:

—Día y noche: vocación. No alimentaba más que eso, una vocación. Ni amor, ni divertimiento, ni distracciones. Un solo espectro: la vocación. No quiera usted saber lo que es uno cuando está raptado por ese monstruo. Nada existe, fuera de él ni para los ojos, ni para el oído, ni para la nariz, ni para las manos. Todo es para uno una especie de distracción enamorada. Pero ¿distracción enamorada de qué, puesto que uno está precisamente al margen de todo? Enamorada, tal vez, de un espejismo, porque ni siquiera en arte hay cosas que nazcan espontánea y artificialmente: todo viene del mar vivo.

Cambió de posición, apoyándose más con la parte superior del cuerpo en el brazo del sillón.

—Todo viene del mar vivo. Y el mar vivo se transformaba constantemente a mi lado; pero sin ruido. No me apartaba de mi distracción. Yo salía a respirar un po-

co por las mañanas; luego me vestía; me encerraba a
trabajar, con mayor o menor deleite según el sol viniera a dar con mayor o menor fuerza sobre estas paredes
y estas frutas... A la tarde, pequeña siesta y alguna lectura. Luego, vuelta a los colores, con algunas pausas
para el teléfono, para algunos amigos, tan esencialmen-
te fríos ante las cosas humanas como yo. Todos los días
la misma cosa. Y una aparente felicidad.

—¿Aunque monótona? —observó Marta.

—Algo peor: muerta. En 1934, viaje a Europa; Pa-
rís, Bruselas, un poco de Londres; variación: ninguna.
Un poco más cerca, sólo, de otra calidad de colores. En
vez de estar ante la materia desordenada, estar ante la
materia ordenada por un Grünewald, por un Piero del-
la Francesca. Único accidente: cierta miseria; primero,
hoteles, después, casas de pensión; pero nunca hasta el
hambre. Aun mi miseria tuvo el pecado original de la
moderación. En 1936: enamoramiento de una mujer; ex-
tranjera, intelectual; aburrimiento casi inmediato; mo-
derada decepción. Ningún proceso abierto contra mí
mismo. Emoción, pasión, acción nulas. Al fin, un verano crítico —el proceso se iba instaurando por dentro—, una época de desaliento, dudas, fatigas, grandes
pausas en el trabajo, mal humor, sensación de disgusto
y gran irritabilidad. Largas noches de reflexión inacti-
va ahí, en ese sillón donde está usted sentada. Llega el
invierno. Las cosas siguen igual. Una noche de junio,
mientras pensaba las cuestiones de siempre, hacia la medianoche, oigo gritos abajo, una batahola infernal. Abro,
la ventana y veo partir, desde una casa de la esquina,
un automóvil verde cargado de gentes ruidosas, y en la
acera a una mujer gritando, con los brazos levantados.

Bajo, y me encuentro cara a cara frente a esa mujer despavorida. Reconocí a la mujer del dueño de un pequeño negocio de libros instalado debajo del dancing; se me representó, antes de que ella dijera una palabra, el hombrecito, el marido, a quien yo solía comprar libros, con su nariz roja, sus cejas altas y estupefactas; su mecha de pelo rala y desaliñada, aquella cara de ratón temeroso. (Con su voz dificultosa de marcado acento extranjero me había ofrecido, días antes, un bonito tomo de Vasari. Era un hombre excesivamente pequeño y enfermizo, de piel amarillenta.) La mujer gesticulaba y sollozaba, tan inhábil y tan urgida por expresarse, como un perro agonizando de miedo. Me le acerco; me entero del atentado. Un grupo de jóvenes que salían del dancing han gritado y golpeado a la puerta —pegando insistente y brutalmente con un palo en la persiana de hierro de la librería— con voces de: "¡Afuera, fuera!", repetidas.

El marido y ella se levantan alarmados y él, al fin, se echa sobre el camisón un sobretodo; baja. ¿Qué hacer si no? De lo contrario habrían subido los otros. El hombrecito abre la puerta, temblando de estupefacción y de susto. Un gran grito de la horda; un golpe violento contra los vidrios del escaparate. "¡Cómete tus asquerosos venenos! ¡Cómete tus libros!" Empujan al hombrecito al interior de la vidriera, entre el estrépito de vidrios rotos y gritos. En el momento en que ella baja y le ve caer sobre los libros e incorporarse con un poco de sangre en la frente: "¡Castigo ejemplar!" —grita alguien—, presumo que una de esas voces melifluas y neutras que se disimulan en la masa, pero que son las que subterráneamente la guían y la precipitan. "¡Al bosque!" Como una tromba, todos —son cerca de diez—, caen sobre el hombre, lo meten en el lujoso automóvil particular, de capota baja, apagan sus gritos —él llama desesperadamente a su mujer—, parten como una exhalación. Fué entonces cuando la mujer cruzó al medio de la calle y comenzó a dar voces de auxilio en la oscuridad de la calle desierta.

Lintas se puso de pie, con cierta lasitud en su cuerpo tan viril, caminó dos, tres pasos, hasta la ancha ventana abierta sobre la misma calle de que hablaba.

—La acompañé corriendo en dirección al bosque. Era muy tarde y no había una sola luz, salvo el claror casi muerto de los pocos faroles municipales. Costaba avanzar en lo enmarañado de la noche. La mujer estaba en un estado tal de terror, que apenas podía correr. De pronto caminando, de pronto corriendo, atravesamos las calles nuevas, los andamiajes con su aspecto fantasmagórico, y entramos en el lado boscoso. La mujer, insegura como si rengueara debido al esfuerzo de mantenerse a mi lado entre las zarzas y lo desigual del terreno, balbuceaba, repetía algunos de los gritos que había oído: "¡Libros de incitación al desorden!" —parece que aullaba indignado el atajo de bárbaros. Olimos el olor de los árboles y, durante diez minutos, seguimos avanzando. De pronto un ruido, la luz de dos faros, un auto que se nos acerca y nos cruza: iba a tal velocidad que apenas recogimos el latigazo del grito de burla y el ademán vandálico: "¡Son ellos; son ellos!"; y la mujer echó a correr hacia adelante; no hubo pausa entre verlos y oír cerca los gemidos y las quejas. Un poco más allá encontramos al hombre en el suelo, sollozando y casi yerto, inmovilizado a golpes, con la cara horrorosamente ensangrentada, temblando de miedo con todo su cuerpo bajo el viejo sobretodo, los ojos suplicantes como los de un animal castigado. Una parte localizable y suelta e iracunda de la furia universal había caído sobre ese hombre. Lo ayudamos a levantarse; no podía tenerse en pie; caído, casi colgado de nuestros hombros lo sacamos del bosque. La mujer lloraba monótona e incesantemente; el viejo echaba atrás la cabeza, parecía rezar sus quejas, se lamentaba como el último ejemplar de una triste raza perseguida. Pero, algo había en mí violentamente despertado del sueño. ¡Sólo una cosa habría deseado: encontrar en algún sitio a los que componían el grupo victimario! He ahí el mundo una vez más dividido: los que matan y los que quieren matar a los que matan. Rara división.

Marta le preguntó con firmeza:

—¿Qué tiene de rara? Nada más viejo, nada más común.

—Tiene de rara esto: que es el punto por donde se parte irremediablemente en dos, por donde se quiebra, una especie originariamente indivisible. Y que en esa división, en esa quiebra, se amasa en forma oscura yo no sé qué fatal destino. ¿Cuál será al fin el hijo de esa pugna insoluble? ¿Qué forma de civilización, qué forma de cultura, qué forma de guerra, qué forma de paz? Volvamos al caso. Al dejar al librero en su casa sentí, primero, una rabia sorda, un odio difuso; luego, una ira metodizada. El hombre estaba muy mal —tenía los riñones y la cabeza brutalmente golpeados—, y cuando llamé en casa del médico, a tres puertas de aquí, me mordía los labios, encolerizado, furioso de vindicación furiosa y de justicia. ¡No sabe usted lo que es comen-

zar a amamantar una nueva conciencia, un nuevo ser
en uno mismo! Sentí una indignación generalizada, un
estado general de indignación. Más que todo, una indignación hacia mí, que había podido ser sordo a un
rumor humano tan perfectamente diferenciable, el rumor
que hacen en la parte oscura e inferior del mundo aquellos a quienes se persigue, a quienes se humilla y se
mata en tantas maneras diferentes. Por primera vez, dejando de lado lo monstruosamente abstracto de mi vocación hasta entonces, me sentí, para decirlo claramente,
en *estado de humanidad*. Tuve de pronto miedo de haber
ignorado esto tanto tiempo. Usted no conoce las delicias
secretas de una crisis, lo que hay detrás del terrible to-
rrente en cuyas llamas uno se quema de pronto. Es como
sentir que empiezan a vivir en uno partes que no tenían
vida. Primero se percibe algo que comienza a moverse,
muy en lo profundo, un nuevo sentimiento que aflora;
luego ese movimiento crece, toma la forma de todo el ser
moral de uno y lo sobrepasa, lo hace mucho más grande,
mucho más rico que su primitiva forma. Por eso, una
gran fe es la forma más grande que puede tener un hombre, porque es el desplazamiento de cierta busca hacia
sus verdaderas fronteras, es el tomar posesión total de
nuestra condición, es el viaje más fuertemente orientado.
¿Puede haber un confinamiento, una limitación, una
frontera comparable con la rigidez de la duda?

Pero esa no era una pregunta, sino el modo de llegar
a un silencio necesario antes de seguir. Y siguió:

—A raíz de algunas complicaciones, a los dos meses
de lo que le he contado, el hombrecito de la librería
de enfrente murió. El médico sostuvo que tenía los riñones hechos cisco; pero que en realidad había muer-

to de miedo y de tristeza. Era un infeliz inofensivo, endeble. Fueron inútiles, como era de prever, todas las investigaciones. La mujer anda desde entonces por este barrio como una ausente, tan pronto furiosa, enajenada, como lúcida. A cualquier hora estalla en su desesperación. Usted la ha oído esta noche. Yo oigo esos gritos muchas noches, y durante horas y horas. Y es como si tuviera sobre mi piel la brasa de un insomnio justo. A veces emprende por la calle carreras frenéticas, después de las que cae agotada; y nadie se le acerca, todo el mundo sabe en los alrededores que después de esos momentos críticos vienen las horas de abatimiento y la respetan en su desesperación. Pero, en realidad, si esto viene al caso es para significar otra cosa, y esta otra cosa es que todos estamos esperando, sin saberlo, el instante de ser despertados. ¡Felices los que son despertados a tiempo! Porque puede pasar una vida entera, a lo mejor, sin que aparezca ese pequeño suceso, ese ínfimo acontecimiento que, por llegar en el momento justo, asume la importancia de un mensaje decisivo; de un mensaje ante el que uno sale *ordenado*. A veces nos hemos pasado la vida sin reparar en las proporciones de un objeto; de pronto descubrimos en él un rasgo que nos ilumina respecto a toda su proporción; sólo entonces lo habremos, en realidad y para siempre, *visto*. Es cuando se produce nuestro casamiento con la realidad. Hay hombres que viven solteros de la realidad, otros que viven viudos de ella. Y al decir realidad no me refiero al universo de las cosas prácticas y útiles, sino a ese dominio en que lo verdadero se siente *tanto* que parece que tuviera cuerpo, que parece constituir por sí mismo un mundo tan sensible y sólido como el mundo de las criaturas humanas, tan sensible y tan presente como usted o como yo.

Ella lo miró y, como si quisiera destacarlo bien para afirmar su desacuerdo, le dijo lentamente:

—De modo que ve usted la verdad como una cosa, como algo que está fuera de nosotros, pese a nosotros.

Lintas se acercó a la gran ventana y puso el pie en una banqueta, y dejó por unos instantes clavados sus ojos en el alto cielo de noviembre. Desde allí no veía nubes ni estrellas, sino una suerte de claridad, provocada por la pureza misma del hemisferio negro. Y se sentía, en la atmósfera, como después de las tormentas, un vago pero penetrante olor a ozono.

—No, sino como expresión de la inmanente justicia —dijo—. Y cuando una cosa es justa, es tan resistente como si tuviera forma y cuerpo en el espacio. ¿Hay algo acaso más hondo y conmovedor que la resistencia de un ser humano? No he visto nombre más bello que el de aquel buque inglés que se llamaba *Endurance:* no sé si significa algo en verdad grande, una sólida voluntad de persistir por sobre todas las fuerzas concitadas para destruirlo. Yo sólo admiro a los que se resisten en el desierto de la vida, en las ciudades, en las aldeas, en despoblado, a aquellos que no se dejan carcomer. Lo que he contado a usted es el proceso con que se forma un sentimiento de lucha. No pienso abandonarlo. No pienso descuidarlo. Al contrario: yo creceré con él.

Los dos quedaron mirándose. Él, con rotundo, solapado desafío; ella, con una especie de indiferencia y distancia, con una expresión de orgulloso y calmo aplomo, última gloria de las grandes razas caídas.

—¡Sentimiento de lucha! —repitió él—. ¿Y sabe lo

que me consume? No poder cambiar en acción, en algo concreto, definitivo, esta repugnancia por la clase de donde usted viene. Una clase cuya heráldica está de más en más hecha de explotación criminal de la vida, de farsa, de estupidez y de vicio ávido.

Ella sonrió sin abandonar su anterior expresión.

—Me parece inexplicable que se pueda ser —no diré tan inteligente— tan racional en los medios y tan pueril en los fines. ¿Qué son las clases a que usted alude nombrando a la que le parece más abominable? ¿Llama usted *mi clase* al sector social de que yo vengo? ¿Puede usted ser todavía tan primario, tan vulgarmente pueril como para creer en esa especie de castas?

—¿En qué otras he de creer?

Marta Rague agitó la cabeza con desazón.

—Como los demás, está usted tan cerca de lo que mira —dijo— que acaba por verlo todo deformado. Yo siempre me he resistido a creer en las castas sociales; no creo más que en las castas morales. Hasta en un grupo —¡en una sociedad!— de búfalos, de bueyes, éstos se agrupan según ciertas misteriosas simpatías. ¡Es tan inútil creer en otras cosas!

—Cuando se agrupan algunos individuos particulares, en los que predomina un gusto por la expoliación moral y material de los otros, entonces se forma una clase como la que a usted la ha formado y la rodea; lo demás son ilusiones.

La mirada de aquella mujer se cargó entonces de indiferencia o de pena. Era preferible no reír, sino mirar en torno los objetos: las frutas cuidadosamente colocadas sobre la bandeja, los retratos, el piano, el gran ventanal después del cual caminaba la noche.

—Yo no hablo así porque quiera ser torpe o vil —dijo Lintas—. Si corriera el peligro de parecerlo no le habría dicho nada. Habría guardado una reserva cortés. Pero usted merece otra cosa. Usted merece la lucha.

—¿Qué sabe usted de mí? Tanto como del pez espada. No afirme; conténtese con conjeturas.

—No. Si usted se va de aquí despierta ya se habrá ganado algo.

Marta rompió en una carcajada.

—¡Despierta! ¿Dice usted des-pier-ta?

Se calló, lo miró fijamente; por un segundo, sólo por un segundo, sus ojos brillaron, rebeldes. (¿O bien con una sombra de perplejidad?) En seguida, el mismo aplomo, la misma reserva.

Fué en el hombre en quien hubo una mutación; su frente se ensombreció en forma muy visible. Ella bebió y él también, despacio.

—Cuántas noches, cuánto tiempo —y sólo hace unos meses— de andar como el espectro de un conspirador irrisorio, buscando el modo de encender un fuego que no se limite a arder en los subterráneos de la conciencia de uno sino que se propague, que se comunique a otras gentes. ¡Si esto no es tener el alma en pena! A veces salgo a andar cerca de las diez de la noche y vuelvo a esta hora, al amanecer, y encuentro la cama sin sueño, el silencio y el gran vacío de acción que hay en mi vida pese a que ya me siento todo acción. ¡Pero es que es tan terrible esta complicidad sorda, interior, pasiva, de todos nosotros! Me ha ocurrido tener necesidad de entrar en todos los sitios públicos, en todos los bares, los restaurantes de este circuito, y hablar con los que ahí calientan su ocio en tantas consideraciones recurrentes, iguales, triviales —y después he entrado y he visto toda esa inmadurez contra la que todavía no se puede ir, no se sabría cómo ir— y me he ido de nuevo sin haber cambiado una palabra con los que allí estaban, con la inspiración muerta... ¿Sin embargo, puede ser el sentir así las cosas algo efectivamente muerto? Yo me pregunto: hasta qué punto produzco vida, hasta qué punto produzco muerte, inmovilidad y vejez... Aun en los que siento pasar a mi lado siento a veces el escalofrío de una pregunta no formulada. Usted misma, ¿podrá librarse de pensar en mí como en un atormentado, como en la prueba de que hay quienes estamos sin dormir, velando, sin poder acostarnos, sin poder conciliar la conciencia pensando en los otros, en los que tampoco pueden dejar de velar y tener hambre física, hambre espiritual, hambre moral, en los otros que tampoco pueden conciliar la conciencia?

Hubo un silencio.

Quedaba en medio de ellos lo móvil, el tiempo, el aire de la noche entrado por la ventana abierta. A ella todo eso le parecía aún demasiado verbal, demasiado intelectual.

—¡Qué fácil es —dijo— cambiar cierta vanidad, cierta escondida egolatría en la apariencia de un heroísmo! ¿No desconfía de usted mismo? Seguramente no se le ocurre semejante cosa; pero basta mirarlo un poco más adentro de lo que dice para temer por usted.

Lintas la miró interrogativamente. Ella dijo:

—Hay una cosa que no puedo tolerar. Es el modo con que un romántico se propone hacernos pasar la comedia de su odio por las actitudes románticas. ¿Usted cree que los males universales están en otra parte? ¡Bah!

No es eso. El mal está en que nadie quiere parecerse a sí mismo. Usted, por ejemplo.

Él dijo:

—En el fondo tal vez pertenezcamos a dos razas a las que ni siquiera las palabras les quedan de común.

—O —dijo ella— que también entre nosotros sean las palabras el puente roto, la separación.

—Sí. Hay un obstáculo. Hay un obstáculo. Pero es precisamente su tarea, la tarea suya: vencerlo —dijo él.

Se detuvo, luego:

—Un obstáculo: la frialdad de conciencia —agregó.

(Sí, ella estaba realmente fría; pero no era su conciencia el territorio helado. Estaba envuelta en frío; envuelta.)

—Y la conciencia tiene la forma del alma —añadió el hombre.

Ella se rió. Sólo se rió.

Luego se puso de pie, de golpe.

—Mire —dijo—, pronto va a amanecer.

Se acercó a la ventana con su elegante cuerpo lento.

—Cuide solamente algo —murmuró—: que su visión de la comunión humana no empiece con una división en usted mismo. Usted me ha descrito el cuadro de un hombre que quiere irse de sí... a toda costa. Su ansiedad de acción y solamente eso. Tenga cuidado. La vida de cada uno es como una bolsa: no hay ningún mérito en darla si se da vacía. La gran preocupación, me parece a mí, debe ser llenarla, y con algo que sea más que las cosas traídas por el azar, con algo que se parezca al mundo por su diversidad, por su dolor, por su esperanza, y hasta por su aparente inutilidad. Y que tenga también de común con él esa naturaleza de ciertos hombres y

ciertas cosas que no buscan una forma porque ya la tienen y no se deforman nunca, como una almeja, o un
escorpión o un héroe... que son almeja, escorpión o
héroe de adentro para fuera; de adentro *contra* y *sobre*
lo de fuera. Que son lo que son, enteros. Que lo bueno
que tienen es ser lo que son y serlo con fuerza. No, ¿para
qué buscar por fuera?

—Eso qué es: ¿una advertencia, una lección?

Ella volvió a reírse sueltamente.

—No se preocupe: otras de las tantas palabras de esta
noche... —dijo—. Me voy.

Bajaron. Ahora desde la puerta de la calle se veía
más claramente el cuerpo de la bruma con su miríada
de corpúsculos móviles y pesados.

—Si solamente... —dijo él.

—¿Si solamente?

—Si solamente esta conversación le hubiera dado a
usted la sensación de cierta realidad, la incomodidad de
sentir esa realidad como un huésped nada agradable pero
que existe y hay que atenderlo...

Marta no contestó.

—Un huésped del que no podemos olvidarnos ni de
día ni de noche...

Ella miró hacia adelante, ya cerca de su coche, y vió
los árboles nocturnos y tristes, y a doscientos pasos aquel
bulto que tenía la forma de una mujer sentada y encogida, y el farol y el brillo del alquitrán de la calle. Le
pareció que no valía la pena contestar que no hay otra
realidad que la que llevamos dentro, hecha carne, sangre,
aire interior; y que aquella falta de paz que se le desea-
ba era su eterno alimento. Que el tormento que le deseaban eran su tormento habitual. Y que mucho más que

en aquellas palabras, vivía en ella cierto terror, cierta necesidad...

Pero dijo:

—Los hombres prevenidos son siempre grandes victimarios.

Marta sintió en la nariz el aire denso, cargado.

—Qué delicioso olor a árboles y tierra.

A la izquierda, a pocos metros, se levantaban realmente las oscuras paredes vegetales, fuertes y macizos reductos que respiraban en medio de una gran inquietud su exhalación de corteza y agua, el áspero aroma del cedro y las casuarinas.

—Venga, caminemos un poco —dijo él. Entraron por el camino natural abierto entre los árboles allí donde el bosque comenzaba a apretarse. Oyeron el aire seco y cristalino de una vertiente, luego de nuevo el silencio. Ella pensó que atravesaban un oscuro lago desierto rodeados por la imponderable vigilancia espectral de todo lo que sucedía en el planeta a aquella hora en que, a dos meses del equinoccio de septiembre, en algunas regiones era de día y en otras noches dura y secreta.

—De noche y de día —dijo él— siento con una gran desolación el ruido de pasos que se me adelantan, que me dejan atrás. Pero ¿qué hacer? No se puede precipitar la propia maduración.

—No —dijo ella—, no se puede. Pero hay que vigilarla. Si la falta de acción pudre los caracteres, las acciones que nacen de una ambición ensordecida los pudren todavía más. En vez de una acción, cuide de no estar alimentando un odio.

El eterno croar melancólico de las ranas formaba el fondo permanente de calma en la gran noche de calor.

Los dos caminaron en silencio; no había ya necesidad
de hablar. No, no era cuestión de hablar, sino de estar
atentos al contenido de ese silencio terrestre. De pronto,
sobre la igualdad persistente del croar se alzaba el sonido de una garganta animal más aguda, grito que tenía
tanto de humano y que parecía una frenética carcajada,
una blasfemia o un lloro. Al pie de los grandes troncos,
de cáscara gruesa y terrosa como la piel de un gran pa-
quidermo, tejían su maraña las lianas, reptando y enco-
giendo sus brazos torcidos y debilísimos, cuya única fuerza consistía en la forma de arraigar y aferrarse, no sin
violenta lucha, a la dura corteza. También éstas eran
voces, y portadoras de quién sabe qué perdurables men-
sajes. Se detuvieron, miraron a su alrededor y luego,
ante una nueva indicación de ella relativa a la hora,
volvieron sobre sus pasos.

Era mejor no agregar nada, salvo decirse adiós. Se
oyó el ruido de los frenos, luego el chasquido de las cubiertas al despegarse del alquitrán.

L AS luces y el boato tienen, igual que el hombre, física
decadencia, y al final de las fiestas agonizan como velas
gastadas.

Eugenia Rague, mientras habla, se mira por encima
de los hombros del embajador Portinori en el espejo del
Trescientos con marco ornamentado que cuelga detrás de
él. La fina cornucopia recuadra las dos bolsas pintadas
y marchitas debajo de los ojos vidriosos; el resto de la
cara: yeso y carmesí. Las últimas parejas habían salido
al jardín y el gran salón parecía abandonado y desierto

menos en sus bordes, donde los más viejos conversaban sentados o de pie, haciendo un solo friso bastante ralo con las flores, los objetos de arte y las colgaduras. El señor Rague, al sentirse aludido, miraba a su mujer con una expresión de cordero resignado.

—... Yo se lo digo, embajador, se lo digo todos los días. Pero es inútil, no me hace caso. Ayer pasamos por Hintermeyer a encargar un ramo para los pobres Álvarez (mediocre casamiento el de la hija con ese francés vendedor de automóviles) y al ir a pagar advirtió que no llevaba en los bolsillos más que unas monedas. Es el desorden personificado. Y ese mismo desorden lo hace creerse un desgraciado, una presa constante del infortunio. Si tuviera más sentido de las cosas podíamos haber comprado su viejo edificio de la embajada; pero por lo visto estaremos toda la vida en este estanque económico, exhaustos de monotonía. Le agradecería que usted le aconsejara. Tal vez saque algo de esta posma. Aunque no lo creo. ¡El desorden es, no hay duda, su segunda naturaleza! Groseramente incapaz de sistema. Si no fuera por mi obstinación no tendríamos nuestra galería, que es una de las mejor ordenadas y de las mejor elegidas del mundo pese... (aquí brillaron sus ojos con un destello de furia...) pese a lo que afirma ese insolente, ese mediocre.

El embajador Portinori llevó las dos manos a su vientre; las posó allí como un abad.

—Hermosa, ciertamente, hermosa colección —dijo.

El señor Rague levantó la vista con una sonrisa de infinita paciencia. Su mujer seguía mirándose en el espejo, con el cuerpo rígido y pequeños cambios de actitud en la cabeza, por encima de los hombros del embajador.

La orquesta atacó nuevamente un fox-trot muy conocido. Pasó la señorita Govers —tul ilusión y falda blanca, aros de concha marina— caminando despacio y hablando locuazmente con alguien en quien Eugenia Rague reconoció a un joven "attaché" que tenía fama de haber vivido desvergonzadamente a costa de algunas inglesas ricas en Antibes. Cambiaron un saludo amabilísimo.

La señora de Rague bajó los impertinentes y cerró los párpados en un gesto que quería significar desazón e impaciencia y desesperanza.

—Al que nace montañés... —dijo—. Yo me he pasado la vida tratando de despertar en este hombre un relámpago de ambición. Sólo he obtenido el aire de cordero pacífico que usted ve. Yo: ¡una luchadora! Una luchadora, embajador, una luchadora. Porque ¿qué es lo que yo no he combatido, por qué cosa no he peleado? Me parece que el peor mal es no tener el sentimiento de lucha. ¡El sentimiento de lucha! Todo lo que usted ve en esta casa ha sido buscado y obtenido mediante tal obstinación y tal combate... Y si los Vargas y los Lerma no pueden presentar al lado de la mía ni siquiera una colección medianamente discreta es porque les falta (no quiere decir que les falte nada más que eso, pero en fin, sobre todo...) el espíritu de lucha. ¡Pero, querido embajador, nuestro amigo, este buen Rague, es un cándido, un perfecto cándido...!

Por la carretera bordeada de árboles negros entró de regreso en la noche. Pero su mundo era más grande que las fronteras marcadas por ese cemento blancuzco, esas verjas de alambre abrazado por la hojarasca, esos altibajos de césped y tierra pelada. Se sentía extremadamente sin peso; como si la sangre se hubiera retirado de sus venas. Su vista no recogía nada inmediato, abarcaba un enorme friso viviente en su más crítica contorsión: hombres y animales sufriendo, gimiendo.

...Sin bajar la cabeza: "Voy a buscar mi sombrero", dijo; fórmula casi maquinal, palabras libertadas por los labios, solos, mientras la imaginación prefiguraba otra cosa, porque él no usaba sino rara vez sombrero y menos tenía necesidad de buscarlo en ese minuto — lo que quería era un compás de espera, quería llevar su imaginación a solas más allá de esa puerta, adentro, para completar, subiendo las escaleras, llegando al comedor alumbrado por la pequeña luz, a su cuarto a oscuras, la prefiguración terrible, lo que se imaginaba, el cuadro...

Dejó el coche en el garage público y echó a caminar por la calle sin gente. ¡Qué hora de gran despojo, qué hora de gran retiro, qué momento de desnudez y verdad! Todas las fuerzas sensibles parecían haberse retirado del mundo —gente, luces, ruido—. ¡Y ella misma...! Estaba absolutamente sin sueño, exactamente como si toda su persona estuviera hecha de insomnio y este insomnio fuera ilimitado y sin memoria, como es ilimitado y sin memoria el aire mismo que nos alimenta toda la vida y nos deja un día morir sin participar en ese trastorno ínfimo. Estaba tan despierta como el día, o tan despierta como la noche y sentía su cuerpo tan ligero y tan inmaterial como ellos. Pero esa ligereza, esa inmaterialidad tenían un fondo, lo mismo que la noche y el día tienen un fondo: el mismo abismo, y más abajo un suelo de aflicción. Cada día presente y cada noche ¿no tienen un suelo de aflicción? Y desde su sensación de vacío personal, de inmaterialidad, ella tocaba su propio suelo.

Sentía una fuerte resistencia ante la necesidad de volver a su casa. Mientras Brenda estaría durmiendo un sueño intranquilo, tal vez su madre se hubiera levantado en la noche a comer un trozo más de pavo, al compás del ronquido apacible escapado por la puerta entreabierta del cuarto del pobre viejo Rague... Y, sin embargo, en una zona muy oculta, en el vientre, en el subterráneo del mundo, sucedían otras cosas... Al lado de su propio insomnio sin dolor físico, cuántas vigilias con tormentos, crueles, atroces. Y lejos de esta calle desierta, la desolación, el frío, el hambre corriendo como animales sueltos. Sentía, sí, sentía el grito de tantas víctimas con-

Ya se advertía en el aire la tímida claridad que pregelado en el rincón último de la noche.

cede al alba, una ligereza mayor en la niebla. Como nunca, ella sintió una extraña necesidad de fundir su sangre con la sangría del día. De vivir. Pero —¡de vivir! ¡*Vivir!* ¡Qué obsesión! ¿Y acaso había comprendido algo de eso este hombre, este artista cuyo desconcierto aparecía más acentuado precisamente cuando él lo creía desaparecido? ¡Cuando creía haber, él, empezado a comprenderlo todo de la humanidad era cuando parecía no comprender nada de cada ser! Pero estaba, sí, en estado de pena. Sí, alma en pena. ¡Y qué suerte, estar así, en crisis, estar por fin en el extremo de perderse o salvarse, sin términos medios, sin paños tibios!

Respiró ese aire todavía nocturno pero que tenía ya algo de matinal y se sintió feliz de estar sola, aislada en su libertad. En esa noche de noviembre el mundo no terminaba en ella: comenzaba. Pero en una forma tan vasta, tan indistinta, tan sin nombre que no podía dejar de sufrir por lo extenso y sin abrigo de ese sentimiento.

Desplegó el impermeable militar que llevaba en el brazo y se lo puso sobre el traje de fiesta. Avanzó en la niebla densamente húmeda. Tenía que cruzar esa calle estrecha de casas particulares y pequeños negocios con sólo dos extremos faroles blancuzcos en ambas bocacalles. Llegó a la plazoleta familiar, donde se levantaba, en el recuadro de césped, la civil estatua sedente de López. Con doblar a la izquierda enfrentaba su propio barrio; prefirió caminar. Cruzó diagonalmente la calle de la plaza. Se cernía sobre ella el primer claror difuso del día enturbiado aún más por la bruma.

Levantó la cabeza —con los ojos muy abiertos— y se sintió bañada por una verdadera angustia. Como si, en pocos segundos, se hubiera rectificado en su ánimo la sensación feliz de estar sola y esta soledad hubiera asumido, súbitamente, el carácter de un sordo sufrimiento.

Nada dirige sus pasos, ni una voluntad ni una meta. Puede llegar a cualquier parte, también a ninguna. Piensa que puede volver a su casa, encerrarse ya en la atmósfera eternamente inerte o retardar un poco más esa vuelta, pero también sin dirección ni propósito, por simple deseo de errar, de no retirarse ni por un segundo del mundo vivo que, a esa hora, no duerme, la rodea, convive con ella, ignorándola, en ese momento, en estas vísperas del alba.

Sí; prefiere esto, prefiere retardar su insomnio, vivir todavía, antes de ir a dormirse; seguir, un rato, un rato más, atada al ritmo de la gente despierta.

Hay veces que una sola palabra nos falta para definir en nosotros la naturaleza de nuestra ambición. En tal modo es creador el verbo, que hasta no haber llamado a nuestra alegría o nuestro dolor con su propio nombre fluctuamos en una atmósfera insoportable. Hasta que la palabra justa, el *nombre*, nos clava, nos fija, nos ata inexorablemente a la verdadera realidad que perseguimos. Todas las cobardías se suman en esta sola, en no tener el coraje de dar a las cosas su verdadero nombre. Sino de disimularlas con palabras. Mientras ella camina por esa calle donde la niebla palidece — ¿sabe acaso el nombre de su desvelo? La fijeza con que mira se parece a la de ciertos sonámbulos a quienes se puede ver cruzar por las terrazas del sueño sin advertir el riesgo ni el circundante daño sino cruelmente atentos a quién sabe qué interrogación obsesiva. Basta mirarla, a esta

Marta Rague: es sólo una intolerancia de sí que se persigue a sí misma.

Y lo que ella ve de su persona es también eso.

Que se persigue, esto es: que aspira. Aspira a algo. Todo su ser aspira; su cerebro, su piel, su entraña, reclaman algo. Y nada que venga hacia ella; sino algo que vaya de ella hacia el exterior, que se proyecte.

Levantó los ojos y los fijó con maquinal detenimiento en el adorno barroco de una gárgola de mampostería; representaba la cabeza de una esotérica divinidad femenina. Siguió, y esa imagen duró todavía en su inmóvil mirada interior, como si estuviera sirviendo para ocultar y detener la inmediata materialización de otra imagen. Entonces, como escrita, inscripta sobre la visión de la cabeza de gárgola, sintió formada en ella una palabra. Era la palabra *servir*.

Ese nombre fué un gran alivio. Lo repitió, en la mente, sin mover los labios; una y otra vez. "Servir". —Sí—; pero ¿qué es servir? Ayudar...

Bajó a la calzada, cruzó sin apurarse la bocacalle, vió la palabra escrita en el aire y sobre las piedras. ¿Cómo se mete a alguien, a un complejo de carne, sangre, emociones, inhibiciones, nervios en un canal voluntario?

¿Es que se puede de pronto imponer a un carácter —o a una falta de carácter— una repentina dirección, un sentido que se ignoraba? Dos obreros pasaron al lado de ella, la miraron, sonrientes, con suspicacia. A pocos pasos, en la acera opuesta, en la vidriera de una florería vió, con cierta imprecisión gris, los rododendros, las anchas hojas oscuras de forma caprichosa, los arbustos de muestra; del otro lado, una mujer repasaba lentamente con un trapo violeta los vidrios empañados. "Servir".

Decidió caminar todavía un poco más antes de volver. Pronto estarían las calles inundadas con el ejército de empleados, madrugadores ociosos, mujeres y criaturas. La niebla se hacía rojiza. Conocía el juego: iba a ser después azulada, luego de nuevo blancuzca. "Servir..." ¡Cómo cambiaban las cosas pensándolas así! La servidumbre había existido siempre pero al revés; ¿no había pensado sin parar que todo le estaba servido?

Su imaginación le parecía un gran cuarto lleno con la reciente fiesta de la noche... Por dentro estaba terriblemente vacía, con excepción de ese tumulto... Y no quería sino mirar hacia fuera.

La hora la tocaba, la hora ponía la mano en su piel. Su pensamiento entraba fácilmente en el río del amanecer, tomaba rápida posesión de la vida que en torno a ella comenzaba a levantarse, en la ciudad, en la gran ciudad, a nacer de nuevo. Su figura, al pasar, apareció reflejada en los vidrios del Hotel C... pero ella no se vió, estaba toda vuelta hacia ese misterioso mundo, que crecía con el tiempo. Al noroeste estallaron tres silbatos en Retiro, luego se oyó nuevamente el silencio, el rodar de una jardinera en el vecino empedrado.

Pensó que en aquel momento no habría podido convencerse a sí misma de que no caminaba para cansarse e ir a caer al fin postrada en la vieja casa. Pero más segura que de eso, estaba de buscar a su cansancio, ya tan sólido, tan familiar, una salida, un alivio. Tuvo ante sí tan netamente la densa población de esa hora como si viera con sus ojos la multitud de rostros, actitudes, pensamientos. Un coro de agonías ponía su sordo friso gimiente a la actividad civil que comenzaba a esa hora a agitarse; y el contracoro de los nacimientos interfería en el yacimiento de la ciudad con sus primeros ayes salvajes en medio de una oscura y secreta melodía. El eterno fin y el eterno comienzo eran las fronteras de tantos y tantos millones de parcelas humanas y abajo tierra y arriba nubes — todo trágicamente envuelto en la misma terrible melodía... Extensos llantos, extensas risas; la noche y la mañana. Gentes girando frenéticamente en danzas, llantos, risas, noches y mañanas, y en medio de esa turba rauda, cada uno buscando penosamente, como el miope en la maraña de cardos, el hilo de su providencia, los caminos de su propia marcha conjetural. Siendo criatura, ella había visto a aquel atleta de circo que alzaba con el cuerpo en insostenible tensión el largo tirante de hierro cargado en los dos extremos de gente colgada, lo mismo que moscas aferradas a un palo meloso... De este modo llevamos también, a cada instante, el peso de las familias humanas que nos rodean y tan desconocidas de nosotros y tan emparentadas con nosotros. Cuanto más mundo carguemos — ¡cuánto más humanos, sí, cuánto más probados, lacerados, pero cuánto más invulnerables!

En cuanto daba vuelta la cabeza —sin mirar nada preciso en la madrugada— ya veía ese océano sufriente del que ella formaba parte, como aquel que va embarcado ve en torno la masa de agua que sólo su embarcación interrumpe. Todos podemos ser así, a la vez, grandes interrupciones o grandes instrumentos de unidad. Y he ahí lo que hay que saber, lo que hay que aprender con la sangre: a no interrumpir, a continuar. Triste del que no sepa que, de todas las revoluciones, sólo valen las que son crisis de vida, como el latigazo en la carne del desmayado. ¡Triste del que traicione con su eslabón!

Quién sabe si aquel hombre que había dejado en la casa solitaria de las afueras no era, pese a su tormento activo, todavía una interrupción, una solución de continuidad, la misma que iguala en el fondo a los indiferentes con los déspotas...

Marta pasó por una capilla cuyas puertas de roble negro estaban abiertas de par en par; la niebla entraba en el pequeño templo; la nave era un corto desfiladero en tinieblas. Se detuvo, miró hacia adentro y vió a la mujer hincada con su mantilla de punto, y al sacristán que encendía las velas para la misa del alba. Por un instante miró aquello, sin interrumpir su reflexión; luego, abstraída, siguió caminando. En el bolsillo, su mano derecha apretaba una llave.

Pasó por el jardín, por la estrecha acera en que doblaba de nuevo hacia atrás la ruta que había tomado. Llevaba en ella ese aire ferviente y sin esperanza con que a veces nos interrogamos sobre las cosas a las que no podemos, por nuestra cuenta, llevar solución, que sin embargo nos atañen y están lejos de cegarnos; cosas que nos son superiores por pertenecer a un orden superior a nuestra voluntad, pero a las que vencemos sin dominarlas por el simple hecho espiritual de comprenderlas. ¿Qué hacer, qué hacer para suprimir en nosotros aquello que es interrupción, aquello que se interpone entre nosotros y la existencia de los otros? Para vencer la interrupción, la resistencia; para hacer de esto algo que *sirva*, que continúe... ¡Ah, no le interesan más que los hombres, los seres de carne y hueso! Pero lo que teme es seguir detenida en su golfo, no progresar, no avanzar hacia la ajena sangre: interrumpir.

Un antiguo farol levantaba en el aire su cabeza blan-

cuzca mientras prolongaba en su planta las ampulosas
decoraciones de un garboso pie de estatua. ¡Ah, qué
lenta deformación del hombre en su poder de construir
e inventar — cuán pronto lanza un grito de gallo que-
riendo hacérnoslo pasar por el canto de su propio genio
en extático rapto!

Mostraba la vieja y vasta confitería su interior iluminado con luz eléctrica; sobre el mostrador de mármol brillaba la máquina niquelada del café y, silencioso, un
grupo de personas se desayunaba en la sala. Marta
sintió un contento, una esperanza infantil. Entró. Se
sentó ante una mesa y vió los rostros pálidos y matinales
y el humo del café caliente al ser depositados en las
mesas los pocillos. Tuvo conciencia de lo mucho que
estaba pintada, vestida, al recoger de aquellos ojos una
ola de recelosa curiosidad, de prevención. Pero ella pidió una taza de café negro sin mirar a aquella gente
sino con ojos interiores. Como el mar que se retira, lo
que quería era volver a ellos, a esa costa humana, con
más fuerza; romper, caer como la ola. El que no se reparte, está muerto. Mucho tiempo, años atrás, le gustaba
repetirse —su sentido ahora la inundaba— aquella frase
del Eclesiastés: "Echa tu pan sobre las aguas, que al
cabo de muchos días lo hallarás". — Comenzó a sorber
el café caliente; volvió su vista hacia fuera, consideró
con pena aquellas actitudes, aquellas cabezas de hombres humildes, aquel rostro sereno de la mujer, que guar-
daba en un papel, para más tarde, las rodajas de vianda
fría. Quién sabe por qué, por un segundo, vió en la

mujer, con terror, la cara de Brenda; luego la tranquila fisonomía retomó sus propios rasgos. Sólo en una mesa había dos hombres viejos de aspecto modesto; todos los demás, como ella, eran solitarios. Marta se inclinó un poco hacia adelante, inmóvil, como si hubiera querido entrar en el clima de cada una de aquellas conciencias. ¿Qué eran al fin? Destinos. Conflictos. Vacilaciones, ambiciones. Arrojos, miedos... —El mozo le acercó el fósforo, ella aspiró el humo y dejó el cigarrillo entre los labios. Sentía la primera náusea de aquella noche de vigilia y tabacos. Siguió por unos momentos mirando vivir —llegar, irse— a toda esa gente que comenzaba a agitarse con la primera luz.

Cuando salió de la confitería llevaba el espíritu rígido. ¿A qué se puede llamar tranquilidad, tranquilidad humana? "En todo lo que caminamos, cuánto suelo ardiendo y explosivo." Hay que improvisarse, cada cual a su modo, un heroísmo. ¿Y qué puede ser un heroísmo en un camino ardiendo y explosivo? Andar con las manos, la piel, el alma, extendidos; hacerse un espíritu extenso, que no se prevenga con fronteras, que no se escatime en cantones parciales. Tal vez.

Del hombre con quien había hablado aquella noche, de los que había visto luego sorber el temprano desayuno, de la mujer que oraba en la capilla, podía ella, en espíritu, posesionarse. Lo que traía ahora adentro no eran sus propios conflictos, los de ella, sino un estado no simple, no individual! — más complejo: una vasta entrega que comprendía no sólo el aire de su vida sino otros climas incorporados. El estado de ánimo de un inquieto, el de una mujer orante, el de los que están atados a una fuerte fatiga —el de este hombre que pasa ahora al lado de ella con una expresión, un paso de impulsivo, de ganador... Con todos, en un momento, se siente fundida — ¡se siente la habitante de tantas moradas morales contradictorias, diferentes, humanas!

Hizo el corto trayecto de la calle transversal y tomó por la avenida donde estaba su casa; el alquitrán entregaba su opaco brillo a la luz del día de niebla y glutinosa humedad. Sentía contento y cansancio. Abrió con su llave la vasta puerta negra y entró.

I NMÓVIL, vió desde su cuarto algunas copas de distintos árboles y techos cuyo aspecto de huesos calcinados mostraba ahora una blanda consistencia grisácea. Detrás estaba el país, su tierra, con su plenitud. Lo parecido a ella del país era esta posibilidad de contener tantos climas, de llevarlos adentro y convivirlos y hacer de ellos su existencia.

Estaba ahí, a solas, en el amanecer de su cuarto.

Toda ella se sintió dolorosamente extensa, pero esta extensión cruel era una plenitud. Tocaba por todos sus lados una porción enorme de mundo. Bajaba hasta el subterráneo de sí misma y tocaba las regiones más lejanas. Lo comprendía todo. Comprendía su propio subterráneo y las regiones más lejanas: — todo es uno y la misma cosa. Si es cierto que alguna vez se puede comprender con el espíritu el universo, ¿no lo estaba comprendiendo ella hasta los límites más remotos y más inesperados? Sí, lo comprende, lo siente, como siente y abarca el que pone su oreja en la tierra el acercamiento de un tropel galopante. Del modo más natural, distintos

momentos de su vida venían de golpe a su espíritu pero
comunicados con otros acontecimientos, presentes y remotos, muy ajenos a ella.

Con qué claridad repentina comunicaban en ese momento, en espíritu, los días de su infancia agitada por
mil ecos secretos con la agonía de Magda Laor, aquella
chica, en la provincia. Ecos y reminiscencias, sucesos y
lecturas. ¿No tocaba por todos sus lados el infinito canto
del universo? Vivir qué es sino multiplicar nuestra relación universal. Asaltada por la visión de su encuentro,
diez años atrás, al salir de una convalecencia, con aquel
extranjero taciturno de alma pueril, otra imagen, al mismo tiempo la acosa —¡ah, relaciones creadas!—, pero
es un ruido, un rumor, la caída de agua al lado de esa
mina donde ha visto morir hace menos años, a tres hombres vestidos con el traje pardo de los trabajadores del
subsuelo; y el ruido de esta agua está mezclado al sonido
que en la garganta del enfermo producen el delirio atroz
y la sed; y ese delirio y esa sed le traen, viva, la presencia de una multitud casi destruída a fuerza de padecer
y esperar. ¡En el tren que unía la cordillera con el li-
toral, qué escuálidas cabezas de refugiados — venían
con cuatro meses de viaje de Odesa y de Francfort! Y
los pequeños lobos rubios —que años después velarían
contritos la espera de una lluvia con el cereal casi muerto— jugando en el suelo del convoy... (No jugaba con
Dios aquel cura de la sierra desértica que había visto
mortificarse con ayunos y marchas, enfrentado con la
lluvia y el espacio y la general equivocación hecha dog-
ma.) Y los nacientes, los murientes, los fríos; los arries-
gados, los pasivos; los que siembran, los que recogen;
los que llevan alegrías, los que llevan desastre — todos

con igual necesidad de ser entendidos, justificados, expli-
cados, acogidos, de ser urgentemente conducidos. Un
solo asco: los que maceran su ánimo en la mala voluntad.
Desde sus días de precoz reflexión, en los inviernos me-
tropolitanos, la arrebataba de ira el odioso énfasis de
las almas interesadas. Cualquier interés de la carne le
parecía tolerable menos el interés sórdido de las almas
vendidas a la persecución y al exterminio.

Abrió los labios, con sus ojos inmóviles frente al
vidrio que reflejaba tantos cuerpos de piedra envueltos
en la bruma, dejó que llenaran su boca, sin ser dichos,
aquellos términos poéticos, aquella voz que había re-
cogido al azar de una lectura de diario y donde se hablaba de cómo viven —y no mueren— los que mueren
por una causa justa: "Contad ya con nosotros, con nuestras multitudes —de cara al viento libre, a la mar, a la vida..."—. Todo su triste yacimiento subterráneo salía a
la superficie, la inundaba; y ella era dolorosamente
dócil a esa producción, a ese trigo viviente crecido de
su seno.

Comenzó a desnudarse sin pensar en lo que hacía.
¡Todo su pensamiento estaba vuelto a una conversación
con tantos actos humanos invisibles! Pero ¿por qué tiene
el mundo la forma de un gran canal muerto? De un gran
canal muerto... Entristecida, pensó en Brenda — en el
cuerpo de una criatura muerta. Y su propio corazón
estaba así, transido, frío — ¡tan inerte! "¡Dios mío!
¡Cuándo llegará el gran latigazo!"

Está ahí, ante la ventana, el alba, con los brazos a lo
largo del cuerpo y la vista fija.

Se desnuda del todo. Se acuesta. Apoya la cabeza en
la almohada.

Abarca en un solo instante el cuadro de la noche pasada, y ese instante es como un vértigo pero como un vértigo que se hiciera cada vez más profundo progresando verticalmente hacia la base de su conciencia, que penetrara como un barreno... de la orquesta se escapa una figura material que gira en bruscos raptos frenéticamente apretada a una y otra pareja ante la risa incesante y casi convulsa del embajador Portinori bajo las luces lujosas y los viejos tapices cuya gloria se torna ya totalmente agónica y vetusta, palideciendo, agigantándose, transformándose de a poco en unos grandes tapices desleídos que pronto son ya niebla pura, niebla acuosa y sin dibujo... Declama el señor Gunter parado en un rincón ante tres oyentes elegantes y aburridos los versos del señor St. John Perse (¡ah, el señor St. John Perse con qué desolación hubiera oído!):

"...Je t'annonce les temps d'une grande chaleur et les veuves criardes sur la dissipation des morts... "Un grand principe de violence commandait a nos moeurs".

...un gran principio de violencia... un gran principio de violencia regía nuestros hábitos... ¡Cómo levanta su brazo estucado la señora de Veres y deja caer la camelia blanca para que Esegovio la recoja y la huela transportado en un histriónico éxtasis después del cual ya se sabe que vendrán como siempre los almohadones de seda malva y las furias histéricas de la señora, que no puede soportar a su amante de dos días...! (Un gran principio de violencia regía nuestros hábitos...) Pasan la bandeja. El joven elegante está esperando que el mozo

llene la copa de oporto: en ese instante no es más que
eso, una aspiración al oporto. Siguen estallando las risas
como torrentes súbitamente cortados; y el gran rumor
de la habladuría...

¿Por qué la imagen que sus ojos ven es una imagen
de muerte? — la noche muerta, la bruma muerta, su
propio cuerpo de pronto abatido, el gran silencio del
alba... Esa interrogación cruelmente agarrada a la entraña... Qué gesto, qué gesto útil — ¿qué parte de uno
levantar contra tanta muerte dada en todos los climas
por mano humana? ¡Ah!

Sacudió la cabeza. ¡Qué alucinación! Sufría horriblemente — sin causa clara, un sufrimiento blanco. Sentía que era una aflicción tan misteriosa. Si se pudiera
levantar la mano sin dañar... ¡Mañana habrá que despertar y no mejoraremos con nosotros nada!

Le parece sentir, lejano, el desarrollarse de una muerte.
Sentir un abandono desconocido, pero que la afecta,
como si alguien se retirara definitivamente de su proximidad. ¿Qué gritos oye?

El mundo está lleno de gritos, bultos, voces, silencios,
crímenes, espantos, locuras, furias, persecuciones, aban-
donos. ¡Ah, encender sus manos en esos desastres! ¡Ex-
ponerlas! — Pero sus manos estaban llenas de vacío. Sus
ojos, llenos de vacío.

CUANDO cayó en el sueño con el cuerpo pesado ya bajaba y subía la servidumbre por las escaleras de la casa.
Todos los cortinados del gran salón estaban abiertos; la
niebla había cedido; la claridad entraba a raudales. No

sin somnolencia era repasado por el mayordomo con un plumero el retrato del cardenal Wolsey. Y mientras esperaba la visita de una muchacha vestida de percal rojo con lunares blancos, un criado, un mucamo asistente, sobre el piso encerado, alrededor del reloj Tchang y en dirección a la puerta, barría, silbando, las fresias, las magnolias, los geranios, las "rosa mundi" y los primeros jazmines de la temporada.

Al abrir la puerta a las once de la noche después de oír los golpes violentos e insistentes, aplicados sin duda con la culata de un máuser, se había encontrado con una patrulla de hombres armados —barbas descuidadas, ropa sucia, bandoleras de cuero con olor a queso agrio—. Uno de ellos, el que estaba adelante, le dijo con más brusquedad que firmeza: "¡Hola! Venimos por usted". Miró con asombro sobresaltado ese rostro negruzco en el que se traicionaba un nervioso cansancio unido a una gran irritación —la boca cruel, los ojos violentos—, ese cuerpo de militar desordenadamente vestido, desprolijo.

Él tenía un trozo de pan blanco en la mano, un trozo de pan casero que había tomado unos minutos antes de la mesa de trinchar en el comedor familiar. Pero estaba solo en la casa. Ni su madre ni su hermana estaban en la casa; y él había dejado abandonado sobre la mesa del comedor el pedazo de papel con el comienzo de un poema escrito a lápiz.

Él, que tenía los rasgos fuertes y vitales de la juventud en su rostro rudo y moreno, se sintió pequeño de estatura y un poco inquieto —no temeroso sino extra-

ñamente cohibido y sorprendido— ante esos hombres armados que formaban la patrulla y el principal de los
cuales, o por lo menos el que ocupaba la primera fila con
cierta superioridad categórica (aquel hombre extraño de
boca cruel y ojos confusos como si la boca mandara en
ese rostro y los ojos padecieran la orden), le había dicho:
"Venimos por usted".

"Pero, ¿qué quieren ustedes de mí?" —preguntó,
sin mostrar alarma sino fuerte perplejidad—. "¿Qué
quieren ustedes de mí...?" — Tenía una mano en el
pestillo de la puerta de basta madera y la otra un poco
encogida hacia la cintura, con el pan pálido entre los
dedos pálidos. "¡Vamos —dijo otro de los hombres de
la patrulla — y era uno de los de atrás—; no es hora
de conversaciones!" En la noche, en el aire opaco y
pesado de la noche, noche de tormenta hacia el este en
que se oía el raro eco lejano de ciertos gritos animales
insólitos y repetidos, era difícil distinguir la fisonomía
de esos hombres; — en su inquietud, sólo pudo él ver,
indiferenciados por la proximidad confusa, la curva lodosa y pelada de una nariz aguileña de base ancha, el
desorden de unos cabellos oscuros sobre una frente, la
tarabita mohosa de un cinturón, las arrugas transversales de un ceño, la obesidad de un pescuezo sudoriento
por sobre el abierto cuello sucio de un traje pardo, las
barbas crecidas, descuidadas, el aire expectante y urgente,
la amenazadora fijeza de todos esos ojos. Enfrente, a
pocos pasos, sin fijarse apenas, vió el gallo que picoteaba,
el gallo del vecino, del talabartero, que había visto a diario en la misma actitud concentrada del que busca en la
tierra su alimento y su gloria. Sus dos manos casi infantiles estaban rígidas, una sobre el pestillo, otra sobre el

pan y sólo su imaginación, su imaginación habituada a
la iniquidad cruel de pensar, padecer y crear, a la terrible
obra de taracea en su propia entraña crudamente herida y
celosa como ciertas carnes de asceta, sólo su imaginación
no estaba rígida, funcionaba, presabía. Trágicamente lúcida en la templada humedad nocturna, ahora; trágicamente lúcida ahora la imaginación que había gozado y
llorado en mañanas, tardes y noches viajando detrás del
canto cuya nota más alta es sólo la racionalización de un
sueño arbitrario; trágicamente lúcida, ahora... Sin bajar
la cabeza: "Voy a buscar mi sombrero", dijo; fórmula
casi maquinal, palabras libertadas por los labios, solos,
mientras la imaginación prefiguraba otra cosa, porque
él no usaba sino rara vez sombrero y menos tenía necesidad de buscarlo en ese minuto — lo que quería era
un compás de espera, quería llevar su imaginación a
solas más allá de esa puerta, adentro, para completar,
subiendo las escaleras, llegando al comedor alumbrado
por la pequeña luz, a su cuarto a oscuras, la prefiguración terrible, lo que se imaginaba, el cuadro...

Los hombres de la patrulla no dijeron nada. Le de-
jaron subir y él se adentró por el zaguán sin luz, de
paredes estrechas y negras, pisando con las suelas blan-
das la baldosa húmeda y sonora, con cierta prisa, como
si tuviera que arreglarlo todo precipitadamente y volver.
Los hombres de la patrulla, abajo, envueltos en una
niebla que casi no llegaba a ser niebla, sino tiniebla de
noche pegajosa, noche de opaca luna y acre tiniebla, los
hombres de la patrulla quedaron esperando, en actitudes no militares, de fatiga, tedio, taciturnidad nerviosa e
impaciencia.

Él, caminó por ese mundo también tenebroso, más te-

nebroso, la casa a oscuras, tan sólo con la pequeña lám-
para a gas encendida en el comedor, en cuya mesa,
sobre la carpeta de roída tela marrón estaba el pedazo
de papel con las líneas, a lápiz, interrumpidas. No oía
ruido alguno, subía, sus cinco sentidos eran uno solo,
diferente: imaginación y, adentro, en la entraña, aque-
lla atroz angustia, aquella naciente y ya insoportable
perplejidad, aquel temblor... Pero su cuerpo subía sin
abatirse. Entró en el comedor, pasó a la alcoba. Las lí-
neas interrumpidas de escritura apretada seguían sobre
la mesa en el gran silencio desierto y turbio del comedor.
En esa mesa, a diario, había comido. "Adiós", pensó,
y tuvo un repentino abatimiento. Habría querido hablar
a esa mesa. "Adiós", dijo para sí. Descolgó su sombrero,
un sombrero viejo y negro, de la percha, a un costado
del armario de encina parda, junto a los dos estantes
de madera modesta en que se alineaban los libros. Al
bajar la cabeza recogió sin mirarlo las letras de ese
título en el libro que había ojeado noche tras noche
durante el mes anterior y ese título familiar le pareció
en seguida lejano y extraño: himnos a la noche, himnos
a la noche — "No, pensó, éstos vienen a eso." Tembló.
Temblaba por dentro. Volvió a pasar del cuarto al
comedor, sin ver. "Vienen a eso." Días antes había
sabido lo de su primo. Puesto contra una pared; luego
la descarga; luego la caída del cuerpo, plúmbea, rotunda.
Ni a Estefanía le dieron el permiso para la sepultura,
ni a la Celsa; el permiso les fué negado. "La camisa
estaba así de sangre" — contó a la noche el viejo Eleu-
terio, e indicaba toda la superficie de su propio pecho,
de lado a lado, con un amplio movimiento de la mano
velluda... Días antes... Pasó de la alcoba al comedor.

"*Vienen a eso.*" *Se sintió, de repente, sublevado. Colérico, fuera de sí, sublevado —por un instante: todo él hecho un grito vivo— pero, instintivamente sobrepuesto, bajó el tono de su furia, se sintió pequeño, se apaciguó. Sintió su cabeza golpeada por aquella línea recién escrita, que acaba de escribir:* sangre de sangre darás a sangre que te la tome. *Y volvió a bajar la escalera, un poco a tientas hasta tener el pie en el cuarto escalón.*

Al final de la boca oscura, el cuadro más claro, la puerta. Uno de los hombres se había sentado en el umbral, la gorra en la mano, el fusil apuntando hacia arriba, la espada agobiada. Al verle bajar, se levantó de golpe. Desde la tiniebla del zaguán, vió él, que bajaba, cómo el grupo de hombres se movía, la patrulla. Uno se agachó a recoger un fósforo, lo prendió, comenzó a fumar — unió a los de los otros sus ojos fríos, saltados como blanco de huevo bajo las cejas de gorila. Él, al llegar al último escalón, les dijo: "Vamos. Estoy ya". Entre los dedos tenía el trozo de pan blanco.

Le empujaron. Se organizaron mal, sin decir palabra. Quedó en medio del grupo. Echaron a andar. El gallo corrió, casi con un alarido, las alas en alto, con un grito que no pertenecía a su especie. Los tres vecinos miraban por detrás de las celosías y él tuvo tiempo de ver la cara horrorizada de Justa, la hija menor de los hacendados de muy lejos que habían venido a vivir en la tierra europea. Él le había repetido, cada tarde, al volver a la casa y verla a la puerta: "Justa, ¡qué tonta eres, tu cara no dice nada!" Y Justa que contestaba siempre: "¡Niño, niño, niño!"

La cara se retiró de la ventana, despavorida.

Sangre de sangre darás a sangre que te la tome. ¡No! Sintió ese grito en él, brutal. ¡No! ¡No! La nuez de

su garganta bajó y subió. ¡No! ¿Por qué darla? Y otra
voz, más profunda, una voz de años, una voz familiar y
remota que parecía venir de la tierra primitiva de donde
todos venimos, fué diciendo en él, más despacio, más
segura, más adentro —¡ah, torturante y casi eterna!—
Sí. (Sangre de sangre darás a sangre que te la tome.) Sí.

Fueron por la parte oscura del pueblo. La cal, los
muros blancos de las casas reflejaban su helado claror
en las piedras del camino angostísimo abierto entre ellas.
"¿Adónde vamos?", preguntó él. Tres de los hombres
rieron en la patrulla. Andaban desordenadamente. "Ya
preguntarás después", dijo uno de ellos. Hubo una chan-
za que no oyó, en los que iban por la última fila. Oyó
la réplica "¡ya tendrás sorpresa!" Y una sonrisa soez,
larga, acre, y un "¡No te inquietes!" Dos cabras se espan-
taron, la patrulla dobló por una calle más ancha, empe-
drada con mayor cuidado, hundida a derecha e izquierda
por dos canales más lisos, del ancho de las ruedas de los
carretones.

Llegaron a una especie de montículo, precisamente
donde terminaba, en forma brusca, el empedrado, y luego
a una calleja en el exterior de cuyas casas se veían algunos
faroles colgantes que proyectaban un resplandor naranja
oscuro, pendiendo sobre las ventanas cerradas y negruz-
cas de madera podrida o sobre las puertas abiertas y con
centinela de guardia. Realmente tenía que hacer él un
esfuerzo para no preguntarse nada, para caminar así, en
medio de ese furor sarcástico y helado — sin preguntar
nada, sin preguntarse nada, viendo estereotipados el temor
y la sorpresa en las caras despavoridas de los pocos hombres vestidos de civil que los veían pasar.

Se detuvieron de golpe, frente al mayor de esos edifi-

cios, que era una vieja alquería transformada en cuartel y en cuyo frente, tachonado por grandes roturas de revoque, se leían letreros soeces y obscenos vivos donde ardía la más asquerosa ignominia.

El jefe de la patrulla —aquel hombre corpulento de cinturón enmohecido que tenía un rojo rasguño reciente cruzándole la cara desde el cetrino mentón hasta el ojo— se apartó del grupo y entró en la casa. Ellos quedaron ahí fuera, esperando. Dos de los hombres se apartaron un poco, fueron a sentarse cruzados de piernas en el alféizar de la ventana del edificio, con la espalda contra las rejas, y se pusieron a armar cigarrillos, el fusil entre las piernas, silbando.

El jefe de la patrulla reapareció con un oficial. Era un joven con un semblante que contrastaba con el de los soldados de la patrulla tanto más blanco, tanto más cuidado. Sus ojos brillaban con sagacidad recelosa, concentrada, en la atmósfera nocturna. "Yo soy..." — comenzó a decir el poeta, no sin vehemencia, no sin dar con su ánimo un paso adelante. Pero el oficial le interrumpió. "Sí —dijo—, ya sabemos quién eres." "Ah", gritaron riendo los soldados, "¡claro que sabemos quién es! ¡Claro que sabemos quién es!"

Los miró él, desesperanzado, descorazonado. "Esto es un vergonzoso atentado", dijo. Y repitió: "Esto es un vergonzoso atentado". Casi sin exclamación, sin énfasis alguno, como si fuera una comprobación para sí, en la noche, ante Dios.

"Conque tenías tus ideas, tú..." La voz del oficial, el mal aliento, le quemaron la cara. "¿Qué quiere usted decir?", preguntó él, y clavó los ojos en los ojos del militar y soportó ese aire, esa sonrisita de odio, burla y

recelo. "Ideas, eh... ideas, eh..." Los de la patrulla reían; uno de ellos masticaba tabaco con los gestos parsimoniosos de un distraído rumiante; los otros fumaban. El oficial hizo al jefe de la patrulla un gesto de inteligencia con la barbilla blanca y rasurada. El jefe de la patrulla se apartó entonces un poco con él. Hablaron en voz baja junto al muro del edificio, a pocos pasos de los dos hombres que fumaban calmosamente con el fusil entre las piernas, sentados en la ventana, bajo la turbia luz anaranjada del farol próximo que colgaba inmóvil en el aire.

Miró él todo eso, estos hombres, esta conversación, el edificio de la vieja alquería, los charcos de agua en la tierra, la noche infinita — y sintió su corazón acongojado y pensó en su madre y en su hermana. Quién sabe por qué la veía con un trapo negro en la mano, cosiendo y descosiendo, tirando del hilo negro. Tenía las manos arrugadas después de aquellos setenta años de burguesa pobre, justo en medio de los cuales había venido él al mundo para darle a ella el placer corto y la pena larga. El placer corto había acabado.

Miró la noche infinita, las pocas estrellas; olió la humedad caliente, pegajosa. Estaba con el sombrero puesto pero sin corbata, con el cuello de la camisa desprendido, mostrando el pescuezo, la piel entre bronce y cobre, el comienzo del vello en el centro hundido del tórax, en esa parte huesuda donde muchas veces, siendo niño, había sufrido golpes y tenido dolores.

El oficial le miró desde lejos, luego entró en la casa. "¡Hola!", dijo el jefe de la patrulla y, golpeando las manos, volvió al grupo. Los dos soldados que estaban en la ventana se levantaron y se acercaron perezosamente. El jefe de la patrulla se le acercó. "Vamos", le dijo.

Él sintió que todo iba a acabar, sintió el interior de su cuerpo repentinamente vacío, vaciado, como si su sangre acabara de abandonarlo. Estaba blanco — el jefe de la patrulla vió el claror de ese semblante privando sobre la noche. Y oyó las palabras del poeta: "Quiero hablar antes con alguien. Es preciso que hable . . ."

Pero habían reanudado la marcha. "Ahorrarás palabras", eso había contestado el jefe de la patrulla moviendo torcidamente los labios de donde partía la cicatriz roja. Y subieron a otro montículo y volvieron a bajar, lamidos por el fluctuar líquido de la luna en la noche de pocos astros. El jefe de la patrulla se llevó la mano a la cabeza y se rascó insistentemente la sien. Luego se arregló la gorra. ¿Por qué tenían aquellos actos tanta importancia? Cada acto tenía una importancia eterna. Bajaron por la parte escabrosa del montículo pelado de pasto y moteado rara vez por alguna brizna seca y blancuzca. Los hombres de la patrulla caminaban ahora sin decir nada, las narices altas, los ojos dóciles a la mutación del campo abruptamente repartido entre la tiniebla y la luna. Se oyó el estrépito de un motor, luego su ronqueo irregular, y allí donde el camino doblaba hacia abajo, en el extremo horizontal de la tierra, apareció el "capot" de un camión tripulado por dos soñolientos soldados. "¡Eh!", gritaron, y pasaron con el dificultoso andar del camión por el terreno accidentado, la mano derecha a medio alzarse en un gesto de saludo fraternal, los dientes brillantes. Era cerca de la medianoche. Cuando el camión dejó el camino libre vieron, a no más

de cien metros, una casa blanca y desierta, sepulta en el
seno de una hondonada.

"¡Es un atropello!", decía. "¡Es un atropello! ¡Un
atropello!" Sus dientes golpeaban unos contra otros cual
si fuera necesario masticar esas palabras. "¡No hay razón ninguna!" Sus palabras se sucedían con una ineficacia estúpida y siniestra, iban a dar en el aire sin que
ninguno de los soldados de la patrulla prestara oídos a
semejante repetir obstinado. El hierro de las punteras
militares golpeaba la piedra. Parecían decididos a no
hablar, a no responder. Él levantó la cabeza y respiró
con ansia y siguió diciendo su protesta, absolutamente
sin pausa entre las frases repetidas, dispuesto a no oírse
a sí mismo, a no pensar, ni calcular, ni imaginar. Pero
algunas imágenes transgredían, violentaban esa barrera
decidida, ese martilleo concentrado, defensivo, de las palabras; y se apoderaban de su conciencia, la invadían,
la llenaban de un tormento bárbaro, desesperado. Él se
aferraba a las palabras, se agarraba furiosamente a ellas,
casi no pestañeaba, los ojos rígidos por el atroz esfuerzo
de no pensar, sino decir, insistentemente: "¡Un atropello! —¡Sin razón alguna!— ¡Esto será vengado, esto será
vengado!"

Y lo que se escapó, lo que se filtró diestramente entre
esas palabras a través de la maraña del espanto, la indignación y la rebelde perplejidad que se alternaban allá
adentro desordenada y cruelmente en ese espíritu, fué la
imagen casi helada, casi borrosa, distante, del niño del
médico asesinado en A..., del niño que había visto boca
arriba, sin vida, sin sangre, desnudo, blanco y despata-
rrado en la calle llovida. Lo que veía ahora era su propia figura acostada, junto a la del niño, pero su cuerpo,

su propio cuerpo, no tenía forma, era como una nube caída, con dos ojos abiertos, tendida sobre las piedras cubiertas de agua. Entonces gritó la palabra "atropello" una y dos y tres veces. Y sintió el culatazo, el golpe de fusil en la cintura. Y el silencio.

Fué también como un golpe aquella garra caída sobre su brazo y el empellón y su caída contra la pared de la casa de la hondonada. Se levantó con la boca horriblemente torcida por una injuria y los cinco dedos a medio cerrar de aquella mano lo volvieron a voltear y de nuevo cayó sobre la tierra y de nuevo se levantó con ira y un tremendo llanto rígido en la boca. Fué a atacar a ese hombre pero ese hombre se apartó. Entonces vió la patrulla, formada frente a él.

Dió un grito —grito salvaje, infantil, casi ridículo en su monstruosa ineficacia— y corrió hacia el lado donde un lucero inmóvil señalaba en lo alto el fin de la tierra. Tenía las piernas en el aire, corriendo, cuando sonó la descarga. El revoque de la pared blanca saltó hecho trizas. Se oyó la alarma de un gallo en un campo próximo.

La patrulla permaneció sin moverse, tiesa, como aguardando que el último eco infinitesimal de la descarga se perdiera para siempre en el aire. Después los hombres, despacio, se acercaron al cuerpo y dieron vuelta alrededor de él, observándolo y moviéndolo un poco con los pies para verle la cara. Casi no hubiera sido posible, a no ser por el reflejo de la luna en la cal de la pared.

La sangre corría despacio, igual que un reguero no líquido, animal. Brillaba y jugueteaba buscando la tierra. Corría a lo largo de una muñeca yerta, de la palma de una mano escuálida vuelta hacia arriba, e iba a caer en la tierra. Después de serpentear, tocó el trozo de pan blanco caído en el suelo y lo empapó, enrojeciéndolo, y penetró en la tierra, rápida, exactamente como un ser vivo guiado por su avidez. Los hombres de la patrulla comenzaron a abandonarse a su fatiga, a tener fastidio los unos contra los otros; sentían la boca amarga de gusto a tabaco y malas comidas y sudor sucio, sudor barroso, el sudor de la cabeza mugrienta. Cuando empezaron a caminar de vuelta, dispersos, se sacaban las gorras, libraban el cabello al aire, entreabrían la boca, levantaban ardientemente los ojos... Pero de aquel cielo que contaba miles y miles de años no bajaba hasta ellos ninguna confortación, sino el tiempo en su imperturbable marcha, la sequedad sobre los campos, el bochorno lunar.

FIN DE

FIESTA EN NOVIEMBRE

BIBLIOTECA CONTEMPORÁNEA

VOLÚMENES PUBLICADOS

BIBLIOTECA CONTEMPORÁNEA

VOLÚMENES PUBLICADOS

BIBLIOTECA CONTEMPORÁNEA

VOLÚMENES PUBLICADOS

BIBLIOTECA CONTEMPORÁNEA

VOLÚMENES PUBLICADOS

BIBLIOTECA CONTEMPORÁNEA

VOLÚMENES PUBLICADOS